365
postres

365 postres

Dulces y repostería casera

everest

Dirección editorial: Raquel López Varela
Coordinación editorial: Ángeles Llamazares Álvarez

Fotografías: Imagen MAS: 12, 27, 36, 50, 54, 57, 67, 72, 76, 81, 107, 113, 122, 124, 130, 133, 139, 147, 150 arriba, 153, 158, 163, 169, 177, 192, 197, 198, 202, 215, 218, 220, 224, 225, 231 arriba, 241, 255; www.123rf.com: 9, 14, 15, 16, 18, 19, 22, 23, 24, 25, 28, 34, 35, 39, 40, 41, 42, 43, 44-45, 47, 58, 60 abajo, 62, 64, 66, 68, 71, 73, 75, 80, 87, 90, 92, 93, 95, 96, 97, 100, 101, 102, 103, 104, 105, 110, 111, 115, 118, 119, 120, 121, 123, 129, 132, 134, 135, 140, 141, 142, 148, 149, 150 abajo, 151, 152, 154, 156, 157, 165, 170, 171, 173, 174, 179, 180, 181, 182, 186, 188, 194, 195, 199, 200, 201, 205, 208, 209, 210, 214 arriba, 216, 217, 222, 223, 228, 229, 231 abajo, 232, 236, 237, 239, 240, 242, 243, 244-245, 248, 250, 251, 252, 253, 258, 260-261, 263; Trece por Dieciocho: 13, 21, 26, 29, 30, 38, 46, 49, 53, 59, 63, 65, 74, 77, 78, 83, 88, 90, 108, 114, 117, 127, 128, 143, 144, 155, 159, 161, 164, 166, 178, 187, 204, 211, 212, 213, 214 abajo, 221, 226, 230, 235, 256; Mikel Alonso: 60 arriba, 257; Miguel Sánchez y Puri Lozano: 98; Agustín Sagasti: 168, 172, 254.

Diseño de interior y cubierta: Maite Rabanal
Maquetación: Carmen García Rodríguez
Revisión de contenido: Patricia Martínez Fernández

© EDITORIAL EVEREST, S. A.
Carretera León-La Coruña, km 5 - LEÓN
ISBN: 978-84-241-2457-1
Depósito Legal: LE: 1179-2011
Printed in Spain - Impreso en España

EDITORIAL EVERGRÁFICAS, S. L.
Carretera León-La Coruña, km 5
LEÓN (ESPAÑA)

www.everest.es
Atención al cliente: 902 123 400

Índice

Tartas
y tartaletas

Apfestrudel

Masa de hojaldre
4 manzanas *golden*
Un puñado de pasas sin semillas
Un puñado de nuez picada
4 nueces enteras para decorar
Azúcar glas
Huevo batido para pintar
el hojaldre

- Descongelar la masa de hojaldre a temperatura ambiente.
- Precalentar el horno a 200 °C (400 °F). Trocear las manzanas, añadir el azúcar y la canela y ponerlos en el horno a temperatura máxima durante 10 min aproximadamente. Dejar enfriar y mezclar con las pasas y las nueces troceadas.
- Colocar la masa de hojaldre sobre la mesa espolvoreada con harina y extenderla hasta obtener un cuadrado de las medidas de la bandeja de horno. Colocar la mezcla en el centro longitudinalmente y envolver con la masa sobrante por arriba y por abajo. Apretar la masa por los lados. Meter en el horno durante 45 min aproximadamente.
- Espolvorear con azúcar glas y colocar las nueces enteras para decorar. Dejar enfriar y servir.

Cake

350 g (12,3 oz) de harina
200 g (7 oz) de azúcar glas
125 g (4,4 oz) de mantequilla
3 huevos
3 ct de levadura
Pasas sin rabito y sin semillas
Frutas escarchadas o en almíbar
Coñac

El calor ha de llegarle por debajo, para que el cake suba sin problemas.

- Dejar en remojo de coñac las pasas y demás frutas (estas últimas, cortadas en trocitos). Untar después un molde de mantequilla y, a su vez, revestir el fondo con papel.
- Batir aparte la mantequilla hasta espumar, añadirle el azúcar y, batiendo siempre con brío, también las yemas y la harina con la levadura. Incorporar a continuación las frutas escurridas e ir dejando caer en hilo el coñac en que se han remojado las frutas. Cuidar que no adelgace demasiado la pasta, que deberá quedar fina y lisa, por eso se debe echar solo el coñac que admita. Acompañar también las claras a punto de nieve y, despacio, revolverlas con cuidado de abajo arriba. Precalentar el horno, disponer la pasta en el molde y hornear en la parte baja.

Cake de anís

1 yogur
3 huevos
3 vasos de azúcar
3 vasos de harina
3 vasos de aceite
1 vasito de anís
El zumo de 1 limón
2 cs de levadura en polvo

- Batir los huevos con el yogur e incorporar el anís, el aceite, el zumo de limón y, en último lugar, el azúcar y la harina con la levadura.
- Untar un molde con mantequilla, espolvorear de harina, echar la pasta y hornear unos 20 min. Para saber cuando está cocido, pinchar con una aguja de hacer punto y comprobar que sale limpia.
- Dejar enfriar, desmoldar y espolvorear de azúcar glas.

Todas las medidas de los ingredientes tienen como referencia el vaso de un yogur.

Cake de chocolate

125 g (4,4 oz) de mantequilla
125 g (4,4 oz) de azúcar
125 g (4,4 oz) de harina
50 g de cacao azucarado en polvo
3 huevos
1 ½ ct de levadura en polvo

- Trabajar la mantequilla (que ha de estar blanda) con el azúcar y, cuando se vea muy cremosa, adicionar los huevos bien batidos, el cacao, la harina y la levadura mezclada con la harina. Batir bien y volcar en un molde de tipo *cake* (alargado), previamente untado con mantequilla.
- Hornear a fuego medio aproximadamente 1 h, hasta que esté hecho.
- Puede servirse como si fueran rebanadas de bizcocho, disponiendo sobre cada una sendas bolas de helado de vainilla con salsa de chocolate.

Carlota
de moca

Para un molde de carlota de 20 cm (8 pulgadas) y 1 l (34 fl oz) de masa:

125 g (4,4 oz) de harina
125 g (4,4 oz) de azúcar
una pizca de sal
50 g (1,8 oz) de fécula
2 huevos
2 cs de bizcocho desmenuzado
½ ct de levadura

Para el relleno:

1 sobre de azúcar de vainilla
¼ kg (9 oz) de nata batida
5 láminas de gelatina blanda
100 g (3,5 oz) de azúcar
Una pizca de sal
2 ct de cacao
4 cs de café instantáneo

Para el recubrimiento:

¼ kg (9 oz) de nata batida
1 ct de cacao
50 g (1,8 oz) de chocolate de cubierta amargo

- Separar los huevos. Batir las yemas con el azúcar y 1 cs de agua caliente hasta que espesen. Añadir la sal a las claras y batir a punto de nieve; posteriormente, agregar a la crema de las yemas.

- Mezclar la harina con el bizcocho desmenuzado, la levadura y la fécula; tamizar encima y agregar a la masa de las claras y yemas batidas.

- Introducir la masa resultante en una manga pastelera con la boquilla redonda.

- Recubrir la bandeja del horno con papel de repostería y extender bizcochos de un dedo de longitud sobre ella.

- Precalentar el horno y cocer el pastel a 200 o 225 ºC (400 o 435 ºF) durante 8 o 10 min. Quitar el papel rápidamente y dejar reposar hasta que se enfríe.

- Para elaborar el relleno, ablandar la gelatina y separar los huevos. Después, batir las yemas, el cacao, la sal, el azúcar de vainilla y el azúcar normal hasta que alcancen el punto de crema.

- Calentar el café con 4 cs de agua. Escurrir la gelatina y añadir a la mezcla hasta que se disuelva. Posteriormente, agregar todo a la crema y dejar enfriar. Cuando la crema se haya gelatinizado, montar la nata y añadir de abajo arriba.

- Partir 3 bizcochos por la mitad. Colocar los bizcochos en forma de estrella sobre el fondo del molde. Recubrir con un poco de crema. Cubrir el borde del molde con bizcochos de cuchara. Hundir la parte inferior de los bizcochos en la crema y continuar rellenando con la crema sobrante. Dejar reposar la tarta durante 2 h.

- Fundir y extender el chocolate sobre una superficie dura; cuando se haya solidificado, formar virutas anchas con él.

- Posteriormente, volcar la carlota.

- Montar la nata, introduciéndola en una manga pastelera de boquilla estrellada.

- Finalmente, decorar la tarta con la nata y las virutas de chocolate, y, sobre ella, espolvorear el cacao.

Tarta cardenal

150 g (5 oz) de azúcar
150 g (5 oz) de mantequilla
(no utilizar margarina)
150 g (5 oz) de chocolate sin leche
125 g (4,4 oz) de pan rallado
5 huevos
1 ct de levadura en polvo
1 ct de café soluble
2 cs de oporto
2 cs de leche
Las ralladuras de 1 limón
Las ralladuras de 1 naranja
Pasas sin semillas, remojadas
en *brandy* (por lo menos 1 h)
Nueces

- Rallar el chocolate y reservarlo. Trabajar aparte la mantequilla con el azúcar y juntar con el chocolate, el pan rallado, un huevo batido, la leche, el oporto y la levadura en polvo.

- Batir mucho y añadir las cuatro yemas, un pellizco de ralladura de limón y de naranja y las pasas remojadas en *brandy*. Tras mezclar todo a fondo, incorporar las cuatro claras a punto de nieve y mezclar la preparación muy despacio de abajo arriba.

- Preparar un molde forrado con papel de aluminio untado con mantequilla y hornear 45 min aproximadamente a intensidad media.

- Embadurnar la tarta con cobertura de chocolate (véase receta pág. 261) y emperifollar con medias nueces.

Tarta casera
de peras y manzanas

Con el coñac, 1 vasito de agua y 3 cs de azúcar, puesto al fuego durante unos minutos hasta disolver el azúcar, regar el pastel. Cubrir con la nata y decorar con las nueces o almendras fileteadas. Guardar en la nevera.

3 huevos
150 g (5 oz) de azúcar
150 g (5 oz) de harina de repostería
100 g (3,5 oz) de mantequilla
2 peras
1 manzana
100 g (3,5 oz) de nueces
o almendras
El zumo de ½ limón
1 sobre de levadura Royal
½ copa de coñac
¼ kg (9 oz) de nata montada

- Batir los huevos con el azúcar (puede hacerse en la batidora. Añadir la mantequilla diluida y seguir batiendo. Añadir la harina mezclada con la levadura, poco a poco, y por último, el zumo de limón.

- Engrasar un molde redondo de tamaño mediano con mantequilla, y verter en el batido.

- Pelar las manzanas y peras. Cortarlas en trozos finos, cubriendo con las peras todo el círculo de la tarta, y el centro, con los de la manzana, hasta que toda la crema quede cubierta.

- Calentar moderadamente el horno e introducir el molde. Dejar 30 min. Cuando se desprenda por los lados, sacar y dejar enfriar.

Tarta
carlota

1 kg (2,2 lb) de nata montada
1 sobre de flan
100 g (3,5 oz) de almendras
6 cs de azúcar
4 huevos
½ l (17 fl oz) de leche
Bizcochos de soletilla
Vino dulce

- Tostar y moler las almendras. En una fuente honda, echar las yemas y el azúcar, batir todo bien, añadir la leche y el sobre de flan, y batir otro poco.

- Cuando, sin parar de remover, comience a hervir, retirar. Batir las claras a punto de nieve e incorporarlas también, mezclándolo todo.

- Untar un molde alargado con mantequilla, echar la masa y, encima, poner los bizcochos remojados en el vino. Dejar en el congelador hasta que esté helada.

- Colocar la tarta en la fuente donde se vaya a servir, procurando que los bizcochos queden debajo. Por último, cubrir con nata montada y espolvorear con almendras.

Tarta
de almendra

¼ kg (9 oz) de azúcar
¼ kg (9 oz) de almendras
125 g (4,4 oz) de harina
25 g (0,9 oz) de mantequilla
6 huevos
1 cs de coñac

- Untar un molde ancho y bajo con mantequilla.

- Escaldar las almendras durante 2 o 3 min. Retirarles la piel y secarlas a la entrada del horno. Ya secas, rallarlas con el rallador o con la picadora.

- Batir los huevos con el azúcar hasta que se vean cremosos. Mezclar la almendra, la harina y 1 cs de coñac. Añadir la masa resultante a los huevos y el azúcar. Mezclar todo bien y verter en el molde. Dejarla entre 25 y 30 min a horno moderado.

Tarta
de chocolate

125 g (4,4 oz) de margarina
125 g (4,4 oz) de azúcar
2 huevos grandes
1 cs de leche
125 g (4,4 oz) de harina
1 cs de cacao
1 ct de levadura

Para la cobertura:
150 g (5 oz) de azúcar
50 g (1,8 oz) de chocolate
sin leche
2 yemas
125 g (4,4 oz) de mantequilla
Agua

- Juntar todos los ingredientes y batirlos 3 o 4 min con la batidora. Verter después sobre un molde untado de mantequilla y llevar al horno precalentado a unos 170 °C (360 °F).

- Tras elaborar el bizcocho, cortarlo por la mitad en dos discos y rellenarlo con nata.

- **Para la cobertura:** calentar el azúcar con 2 cs de agua en un cazo. Retirar del fuego una vez hierva a borbotones y derretir el chocolate sin leche en este almíbar, añadir luego las yemas y, por último, la mantequilla cortada en trocitos. Batir hasta que se ponga la pasta fina y cubrir el bizcocho deprisa antes de que endurezca al enfriarse.

- Darle un toque de nata y mantener en la nevera.

Tarta
de coco y tocinillo

En caso de preferirlo, sustituir el coco por almendra.

1 tazón de agua
1 tazón de azúcar
8 galletas maría
4 huevos
100 g (3,5 oz) de coco rallado

- Juntar el azúcar con las galletas partidas en trozos, el coco y los huevos. Batir muy bien con la batidora.

- Echar todo en un molde acaramelado y cocer al baño María 30 min. Dejar que enfríe y desmoldar.

Tarta
de flan

- Batir los huevos, el azúcar y las ralladuras del limón en la batidora.
- Cuando se vea la masa muy cremosa, derramar la harina sobre la preparación, realizando movimientos envolventes en forma de lluvia.
- Una vez hecha la mezcla, verterla sobre un molde de 20 cm (8 pulgadas) de diámetro y 5 cm (1,97 pulgadas) de altura, enharinarlo y hacer a horno medio durante 30 min.
- Mientras cuece el bizcocho, hervir la leche y mezclar con el sobre de flan.
- Al retirar el bizcocho del horno, pincharlo repetidamente con una aguja de hacer punto para que se impregne bien al bañarlo con el flan (ha de hacerse en caliente). Dejar que se empape y volcarlo sobre una fuente.
- Decorar con las almendras fileteadas y espolvorear con azúcar glas.

6 huevos
6 cs de azúcar
6 cs de harina
Las ralladuras de 1 limón
½ l (17 fl oz) de leche
1 sobre de flan
90 g (3,2 oz) de almendras fileteadas

Tarta
de fresas (1.ª fórmula)

1 envase de gelatina de fresa
½ kg (17 oz) de fresas
Nata montada

- Preparar la gelatina según las instrucciones del envase y dejar que enfríe.
- Mientras tanto, cortar las fresas por la mitad y longitudinalmente. Reservar algunas para el adorno y las otras, mezclarlas con la gelatina.
- Verter la preparación sobre un molde en forma de corona y reservarlo (mejor hacerlo de un día para otro).
- Desmoldarlo una vez haya enfriado, rellenar el hueco con la nata montada y acicalar la corona con las fresas reservadas.

Tarta
de fresas (2.ª fórmula)

Pasta quebrada dulce (en lugar
de con sal, con 1 cs de azúcar)
200 g (7 oz) de nata montada
200 g (7 oz) de fresas
1 frasco de mermelada de fresas

- Forrar un molde con la pasta quebrada dulce y pinchar el fondo con un tenedor, o rellenarlo con habas o garbanzos para que no se deforme. Llevar luego a horno moderado durante 15 min.

- Si se pusieron, retirar las habas o garbanzos y esperar a que la pasta enfríe.

- Untar el fondo con la mermelada. Mezclar la mitad de la nata con la mitad de las fresas cortadas en trocitos y distribuir sobre la mermelada.

- Cubrir con la otra mitad de la nata y engalanar con las fresas restantes.

Tarta de galletas
dos cremas

Galletas cuadradas
o rectangulares
Crema pastelera
Crema de chocolate
Leche
Coñac
Almendras

- Verter leche fría con 5 cs de coñac en un plato sopero y mojar allí las galletas. Cubrir con una capa de crema pastelera, otra capa de galletas remojadas, más de crema de chocolate, otra más de galletas, otra de crema pastelera y así hasta terminar, dejando como última capa una de crema de chocolate.
- Repartir almendra tostada y picada por encima, espolvorear con azúcar glas y llevar al frío de la nevera hasta la hora de su degustación.

Tarta
de limón (1.ª fórmula)

Mientras no se termine la preparación, mantener el recipiente de crema en agua caliente, pues de lo contrario, espesaría demasiado.

Para el bizcocho:
4 huevos
4 cs de azúcar
4 cs de harina
1 ct de levadura en polvo

Para la crema:
2 huevos
200 g (7 oz) de azúcar glas
El zumo de 1 limón
30 g (1 oz) de mantequilla

- **Para el bizcocho:** separar las claras de las yemas, batir las primeras a punto de nieve y dejar caer el azúcar cucharada a cucharada sin parar de batir.
- Cuando las claras hayan subido, incorporar las yemas enteras y continuar batiendo hasta mezclar todo bien; por último, echar la harina con la levadura y ligar el conjunto rápidamente.
- Preparar previamente un molde forrado con papel engrasado con mantequilla, verter allí el preparado y llevar a horno medio hasta que esté dorado. Retirar y dejar que enfríe.
- **Para la crema:** poner los dos huevos en un cazo, añadir el azúcar y batir 10 min. Agregar el zumo de limón y la mantequilla partida en trocitos, poner al baño María y dar vueltas sin cesar hasta que tome punto de crema.
- Disponer el bizcocho en una fuente y cortarlo a la mitad en dos capas. Untar la mitad de la crema sobre la capa inferior y, con el resto de la crema, cubrir la tarta, cuidando de tapar también los bordes con la crema restante.
- Si gusta, se puede espolvorear con coco rallado.

Tarta
de limón (2.ª fórmula)

Un fondo de pasta
quebrada dulce
2 cs de maicena
5 cs de azúcar
El zumo de 2 limones
3 huevos
2 dl (6,7 fl oz) de agua
1 cs de ralladuras de limón
1 cs colmada de mantequilla
Azúcar glas

- Mezclar las yemas con el azúcar. Diluir la maicena en el agua, agregar el zumo de los limones y unirlo a las yemas y el azúcar. Arrimar al fuego y revolver sin parar. Una vez espese y esté próxima a hervir, acompañar con las ralladuras de limón y la mantequilla.

- Revolver rápido hasta que ligue bien, retirar del fuego con el primer hervor y verter sobre el fondo de pasta quebrada. Forrar un molde poniendo esta pasta lo más finamente posible, tapar con papel de aluminio y llenar con habas o garbanzos para que no se deforme. Recién dorada, retirarla del horno, quitarle los garbanzos y el papel de aluminio y esperar a que enfríe dispuesta en la fuente donde se va a presentar la tarta.

- Montar mientras las claras a punto de nieve, endulzar con el azúcar glas y extender esta crema sobre la pasta ya fría. Dorar todo al grill a temperatura suave y, nada más enfríe, espolvorear el pastel con azúcar glas con un colador fino.

Tarta
de limón o naranja

1 bote de nata
3 limones
1 sobre de gelatina de limón
1 vaso grande de agua
1 vaso grande de azúcar
1 envase de sobaos o soletillas

- Con 3 cs de azúcar, hacer un caramelo en un molde más bien bajo y dejarlo enfriar.

- Montar después la nata, que previamente habrá estado en el congelador durante 1 h por lo menos.

- Poner a hervir el vaso de agua con el azúcar y, nada más comience a hervir, disolver la gelatina de limón y, a continuación, añadir el zumo de los limones. Agregar este almíbar poco a poco a la leche montada y volcar esta mezcla en el molde donde tenemos el caramelo.

- Añadir el almíbar poco a poco a la leche montada. Echar esta mezcla en el molde donde tenemos hecho el caramelo.

- Tras dejar en reposo unos 10 min, distribuir por encima los sobaos cortados en láminas finas (cada uno, en tres capas) hasta cubrir la superficie del molde.

- Enfríar en la nevera durante 24 h. Al desmoldar, los sobaos han de quedar como base de la tarta.

En lugar de limones, la tarta puede ser de naranjas, en cuyo caso, además de 3 naranjas, se pondrá el zumo de 1 limón y la gelatina de naranja.

Tarta
de manzana (1.ª fórmula)

3 huevos
150 g (5 oz) de azúcar
150 g (5 oz) de harina
El zumo de ½ limón
100 g (3,5 oz) de mantequilla
3 ct de levadura
2 manzanas de tamaño mediano
Mermelada de albaricoque

- Batir bien los 3 huevos con el azúcar. Añadir la mantequilla muy ablandada y seguir batiendo. Incorporar la harina mezclada con la levadura y, seguidamente, el zumo de limón. Batir unos segundos.

- Engrasar un molde con mantequilla, poner en el fondo un papel de aluminio también engrasado y verter el batido que hemos preparado.

- Pelar las manzanas y partirlas en cuatro trozos. Filetearlos en gajos muy finos y colocarlos sobre la crema hasta cubrirla por completo. Calentar el horno durante 5 min y hornear hasta que se desprenda por los lados, retirar y dejar enfriar.

- Preparar un almíbar simple, hecho con 4 cs de agua y 3 cs de azúcar.

Tarta
de manzana (2.ª fórmula)

Manzanas reineta
Crema pastelera
½ kg (17 oz) de harina
300 g (10,6 oz) de mantequilla
4 yemas
2 ct de levadura
160 g (5,6 oz) de azúcar
Un pellizco de sal
Mermelada de melocotones

- Elaborar una crema pastelera y reservar.

- Preparar seguidamente la pasta para forrar el molde y optar por uno desmontable.

- Mezclar la harina y la levadura. Batir aparte la mantequilla con el azúcar y, una vez bien cremosa, añadir las yemas e ir echando la harina hasta incorporar todo. Estirar la pasta y cubrir el molde untado ligeramente de mantequilla, procurando que quede fina para que luego la tarta no resulte con demasiada masa.

- Pelar y descorazonar las manzanas. Cortarlas en gajos. Distribuir por encima la crema pastelera y, sobre ella, colocar los gajos. Cocer luego en el horno.

- Ya cocida, retirar del horno y verter por la superficie la mermelada de melocotón o albaricoque.

Tarta
de manzana (3.ª fórmula)

1 kg (2,2 lb) de manzanas
6 cs de harina
6 cs de azúcar
2 huevos
2 ct de levadura

- Pelar las manzanas y reservar una. Cortar las otras muy finas, y mezclarlas con los demás ingredientes revolviendo todo bien.

- Untar un molde con mantequilla, volcar la mezcla en él, igualar y adornar con la manzana que hemos reservado cortada en gajos muy finos. Hornear luego aproximadamente 35 min.

- Al retirar del horno, en caliente, impregnarla con mermelada por encima.

Tarta
de manzana (4.ª fórmula)

50 g (1,8 oz) de mantequilla
200 g (7 oz) de harina
50 g (1,8 oz) de azúcar
2 cs de leche templada
2 g (0,07 oz) de canela molida
1 huevo
Manzanas reineta

- Echar todos los ingredientes en un recipiente hondo, menos las manzanas. Empezar por la harina, hacerle un hueco e irlo rellenando con los demás componentes. Mezclar bien, formar una masa fina y dejar 1 h en reposo.

- Estirar la masa y, cuando la capa tenga un grosor de 3 o 4 mm (0,11-0,15 pulgadas), extenderla sobre una placa pastelera previamente engrasada. Cortar a continuación un rectángulo de 15 cm (5,9 pulgadas) de ancho por 25 cm (9,8 pulgadas) de largo y, en el centro, ir solapando muy juntas las manzanas, peladas y cortadas antes en medias rodajas un poco gruesas. Enrollar la pasta hasta el borde de las manzanas, untar la superficie con huevo batido y espolvorear con azúcar.

- Formar unas tiritas finas con los recortes de la pasta y colocarlas sobre la tarta, formando un enrejado. Abrillantar con huevo batido y mantenerla a horno fuerte aproximadamente 20 min.

- Recién cocina y muy dorada, trasladarla a una fuente.

Tarta
de manzana (5.ª fórmula)

3 huevos
Mermelada de albaricoque
2 manzanas ácidas
¼ kg (9 oz) de azúcar
¼ kg (9 oz) de harina
100 g de (3,5 oz) mantequilla

- Separar las yemas de las claras. Batir las yemas con la mantequilla, agregarles el azúcar, luego la harina y, por último, las claras a punto de nieve.
- Echar esta preparación sobre un molde untado previamente de mantequilla y acondicionar encima las manzanas cortadas en rodajas finas. Endulzar con un poco de azúcar, cubrir con la mermelada y llevar a horno fuerte 35 min.

Tarta
de melocotón

Para el bizcocho:
4 huevos
125 g (4,4 oz) de harina
125 g (4,4 oz) de azúcar
50 g (1,8 oz) de mantequilla

Para la guarnición:
200 g (7 oz) de almendras
8 melocotones en almíbar

- **Para el bizcocho:** mezclar los huevos con el azúcar. Batirlos hasta que se vean cremosos y agregar la harina y la mantequilla derretida. Batir despacio y volcar sobre un molde previamente untado con mantequilla. Hornear a fuego moderado durante 30 min, desmoldar y dejar que enfríe.
- **Para la guarnición:** picar primero las almendras levemente. Cortar aparte los melocotones en 6 u 8 gajos, colocarlos en la parte superior de la tarta con las puntas hacia arriba y untar la parte del bizcocho que queda sin cubrir con mantequilla. Distribuir las almendras sobre la tarta y espolvorear con azúcar por encima de las almendras.

Tarta de mermelada
con nata y fresas

125 g (4,4 oz) de azúcar
125 g (4,4 oz) de harina
4 huevos
15 g (0,5 oz) de mantequilla
1 cs de *kirsch*
200 g (7 oz) de fresas pequeñas
¼ l (9 fl oz) de nata
1 tarro de mermelada
de albaricoque
2 ct de levadura
50 g (1,8 oz) de azúcar glas

- Elaborar el bizcocho batiendo las yemas con el azúcar y, una vez lograda una pasta espumosa, añadir el *kirsch*. Batir un poco más y acompañar la harina con la levadura y, en último lugar, también las claras a punto de nieve.

- Verter en un molde untado con mantequilla y cocer a horno moderado durante 35 o 40 min. Tras hornear, retirar del molde sobre la rejilla y dejar que enfríe.

- Montar la nata e incorporar el azúcar glas y, si gusta, también azúcar avainillado.

- Cortar el bizcocho en tres capas. Cubrir la primera con glaseado de albaricoque y ponerle una capa de nata por encima. Tapar con la segunda capa de bizcocho y repetir la operación. Luego la tercera, y a esta, darle un toque de elegancia con las fresas.

Se le pueden espolvorear por encima pistachos o almendras tostadas picadas.

Tarta
de moca

Para el bizcocho:
75 g (2,6 oz) de mantequilla
125 g (4,4 oz) de harina
125 g (4,4 oz) de azúcar
4 huevos

Para la crema de moca:
¼ kg (9 oz) de mantequilla
200 g (7 oz) de azúcar
30 g (1 oz) de café
½ dl (1,8 fl oz) de agua

- **Para el bizcocho:** batir los huevos con el azúcar en una cazuela próxima al fuego, hasta que forme punto de cinta. Añadir la harina, ligar con la espátula y, a continuación, incorporar la mantequilla derretida. Mezclar despacio y volcar luego sobre un molde de 20 cm (8 pulgadas) de diámetro untado previamente con mantequilla y espolvoreado con harina. Cocer a horno moderado durante 25 min, dejándolo hasta que se desprenda de las paredes del molde. Desmoldar sobre la rejilla y esperar a que enfríe.

- **Para la crema de moca:** poner 1 cs grande de azúcar en un cazo pequeño. Poner al fuego y dejar que se tueste. Cuando esté muy oscura, agregar el agua, dejar que rompa a hervir y echar sobre el café molido, puesto previamente en la manga, y exprimir para extraer todo el aroma del mismo.

- Acercar de nuevo al fuego, echar el resto del azúcar y, una vez derretido, separar y dejar que enfríe.

- Disponer la mantequilla en un recipiente de loza o cristal y batir con la espátula hasta formar una pomada fina. Añadir poco a poco el café ya frío y, sin dejar de batir, continuar hasta que lo haya absorbido del todo. Poner a enfriar en la nevera y preparar la tarta.

- Cortar el bizcocho en tres discos y, entre uno y otro, extender sendas capas de crema moca. Al poner el último disco, oprimir un poco con las manos para que quede bien unido. Cubrir con una capa de crema y, también, darle un poco por los costados. Espolvorear con almendras tostadas y picadas y, con la manga pastelera, hacer una filigrana rizada con la boquilla.

Tarta
de Navidad

12 bizcochos
de soletilla
Nata montada
1 bote de melocotón
6 bollos de leche
Un poco de azúcar

- Hacer un caramelo con el azúcar y untar las soletillas con él por los extremos para pegarlas entre sí dispuestas en una fuente honda y redonda, formando un círculo.

- Poner los bollos de leche cortados en trozos dentro de este círculo y cubrir con la mitad de la nata, luego otra capa de melocotones cortados en trocitos y la capa final, la otra mitad de la nata. El toque artístico final lo dan unos melocotones colocados bocabajo.

Antes de servirla, debe estar en reposo 3 o 4 h en la nevera.

Tarta
de queso

1 tarrina de queso para untar
3 yogures naturales
3 huevos
3 cs de harina
10 cs de azúcar
Mermelada de frambuesa
Mantequilla

- Precalentar el horno a 200 °C (400 °F).

- Mezclar la tarrina de queso, los yogures naturales, los huevos, la harina y el azúcar en un bol y batir todo hasta eliminar los grumos.

- Untar un molde redondo con mantequilla y poner la mezcla anterior. Introducir la tarta en el horno y bajar la temperatura a 170 °C (335 °F).

- Dejar cocer entre 20 y 25 min. Luego, comprobar si está lista pinchándola con un palillo. Si sale limpio, apagar el horno y dejar la tarta otros 2 min dentro.

- Seguidamente, dejar enfriar un rato a temperatura ambiente. Posteriormente, colocarla en el frigorífico.

- Antes de servirla, decorarla con mermelada de frambuesa.

Tarta
de queso con galletas

275 g (9,7 oz) de galletas maría
150 g (5 oz) de mantequilla
150 g (5 oz) de azúcar
½ kg (3,3 lb) de queso fresco
¼ kg (9 oz) de nata líquida
4 huevos
3 cs rasas de harina

- Triturar las galletas con la batidora y dejarlas como harina tostada. Ablandar la mantequilla, incorporarle las galletas y trabajar con las manos hasta que la pasta quede bien ligada. Cubrir con ella el fondo de un molde desmontable untado antes con mantequilla, procurando que no quede muy gruesa.
- Mezclar aparte los demás ingredientes con la batidora y volcar este preparado sobre el molde. Extender con una espátula de cocina por igual y dejarla a horno medio hasta que, al pincharla con una aguja de hacer punto, esta salga limpia y seca. Retirar del horno, desmoldar y dejar que enfríe.
- Cubrir la tarta con un glaseado de fresa y mantenerla en la nevera para, al momento del servicio, presentar en frío.

Tarta
de queso sin horno

300 g (10,6 oz) de queso fresco
(preferentemente de Burgos)
3 huevos
400 ml (14 fl oz) de nata fresca
100 g (3,5 oz) de azúcar
20 g (0,7 oz) de gelatina
200 g (7 oz) de galletas maría
100 g (3,5 oz) de mantequilla

Conservar la tarta siempre en la nevera.

- Triturar las galletas con la batidora o la picadora hasta que queden como harina, mezclar con la mantequilla y amasar hasta conseguir una pasta homogénea. Repartir luego esta pasta por el fondo de un molde desmontable, aplanándola bien con las manos para que quede igualada.
- Batir bien las yemas con el queso, de forma que no quede ningún grumo (para el éxito de la tarta, la pasta ha de ser muy fina). Montar la nata, endulzar con el azúcar e incorporar al queso y a las yemas.
- Montar las claras a punto de nieve y unirlas despacio al preparado anterior, removiendo con una espátula de abajo arriba para que no se bajen las claras.
- Preparar la gelatina según las instrucciones del envase (sea en láminas o en polvo), ligarla al preparado con la espátula y seguir el mismo movimiento que para las claras.
- Enfriar en la nevera varias horas, siendo lo más oportuno elaborarla de un día para otro.

Tarta
de zanahorias

300 g (10,6 oz) de zanahoria
rallada
200 g (7 oz) de azúcar
200 g (7 oz) de almendra molida
60 g (2,1 oz) de harina
El zumo y la ralladura de 1 limón
3 ct de levadura
4 huevos
Una pizca de sal

- Separar las yemas de las claras y batir las segundas a punto de nieve.
- Trabajar las yemas con el azúcar, el jugo de limón y la ralladura, así como la pizca de sal, en un recipiente hondo. Batir hasta dejarlo cremoso. Cuando la mezcla esté esponjosa incorporar, poco a poco, la zanahoria rallada, la almendra molida y las claras a punto de nieve firme. Por último, incorporar la harina mezclada con la levadura, introduciéndola poco a poco.
- Engrasar un molde con mantequilla o margarina, y echar en él la mezcla. Calentar el horno previamente, introduciéndolo a calor moderado durante 30 o 40 min aproximadamente.

Tarta
dos cremas

Para el bizcocho:
3 huevos
6 cs de harina
6 cs de azúcar
1 ct de levadura

Para la crema:
150 g (5 oz) de mantequilla
6 cs de azúcar molido
2 yemas
75 g (2,6 oz) de chocolate
sin leche

Para mojar el bizcocho:
1 copa de coñac
1 vaso pequeño de almíbar

- **Para el bizcocho:** batir las yemas con el azúcar y ligar con la harina mezclada con la levadura. Dejar luego las claras a punto de nieve dura e incorporar las yemas poco a poco para que no bajen. Volcar sobre un molde untado de mantequilla, que no sea grande, y hornear a temperatura media, aproximadamente 20 min. Retirar cuando se vea hecho y dejar enfriar. Ya en frío, abrir por la mitad.
- **Para la crema:** una vez batidos también la mantequilla con el azúcar, añadirle las yemas. Dividir por la mitad esta crema, reservando una parte y sumando a la otra el chocolate derretido en 1 cs de agua.
- **Para mojar el bizcocho:** poner a hervir un vasito de agua y la misma cantidad de azúcar. Apagar a los 5 min el fuego y acompañar la copa de coñac.
- **Para montar el pastel:** tras abrir el bizcocho en dos, bañar la parte de abajo con la mitad del almíbar y el coñac, untar por encima la crema sin chocolate y tapar con la otra mitad del bizcocho recubierta asimismo con el resto del almíbar.
- Dar una capa con la crema que lleva el chocolate al bizcocho y decorar con unas almendras picadas y azúcar glas.

Tarta tatin

1 kg (2,2 lb) de manzanas
(reinetas o *golden*)
150 g (5 oz) de mantequilla
250 g (9 oz) de azúcar
1 rollo de masa de hojaldre
Zumo de limón

- Precalentar el horno a 180 °C (350° F).

- Pelar las manzanas; cortarlas en cuartos, quitarles el corazón con las semillas, rociarlas con zumo de limón y reservar.

- Poner la mantequilla en un molde de horno e introducirlo en él. Cuando esta comience a hervir, cubrirla con 150 g (5 oz) de azúcar, de modo uniforme. Colocar las manzanas en el molde, con su parte exterior hacia abajo, solapando unas y otras. Distribuir 100 g (3,5 oz) de azúcar por encima de ellas y cocinar hasta obtener un color caramelo oscuro. En el momento en que se obtenga ese color, apagar.

- Colocar la pasta con cuidado sobre el molde caliente, excediendo el molde por los bordes uniformemente (a razón de 1 cm o 0,4 pulgadas aproximadamente). Sellar los bordes. Perforar con un tenedor en varios sitios para evitar que se hinche.

- Meter el molde en el horno y hornear durante 30 min. Después, encender el grill y dorarla durante 8 min más.

- Sacar el molde del horno y voltear el contenido de inmediato sobre una bandeja. Con una cuchara, recoger el caramelo y distribuir por encima de las manzanas. Servir.

Para las cantidades indicadas, recomendamos un molde de borde alto de 24 cm [9,4 pulgadas] de diámetro. La bandeja sobre la que volcaremos la tarta ha de ser más grande que la tarta y un poco profunda, para contener el caramelo que caerá del molde.

Tarta
ultrarrápida

¼ kg (9 oz) de mantequilla
¼ kg (9 oz) de azúcar glas
150 g (5 oz) de almendras
tostadas
1 tableta de chocolate
1 huevo
600 g (21,2 oz)
de galletas cuadradas
Leche

- Batir a fondo la mantequilla con el azúcar y después incorporar, batiendo mucho también, la yema del huevo y el chocolate derretido al baño María.
- Colocar un piso de galletas previamente remojadas en leche, luego una capa de crema, otra de galletas, y así hasta terminar las galletas, debiendo quedar como última capa una de crema.
- Picar las almendras, echar por encima de la tarta y espolvorear con azúcar glas.

Técula mécula

400 g (14 oz) de almendras
100 g (3,5 oz) de mantequilla
400 g (14 oz) de azúcar
8 yemas de huevo
150 g (5 oz) de harina
corteza de limón
200 g (7 oz) de pasta brisa
o masa quebrada

- Forrar un molde de fondo desmontable de 6 cm (2,36 pulgadas) de alto con la pasta brisa ya preparada, procurando llegar hasta el borde. Por otro lado, en una cazuela preparar un jarabe a punto de bola con 400 g (14 oz) de azúcar, 400 cl (140,78 fl oz) de agua y la corteza de limón.
- Con una túrmix, triturar las almendras con la mantequilla hasta que queden lo más finas posible.
- Montar las yemas en otro recipiente hasta que queden bien esponjosas, añadir la harina, la pasta de almendras y la mantequilla, trabajando todo el conjunto. Incorporar el almíbar frío, removiendo la masa para que se integre bien.
- Rellenar el molde, previamente forrado con la pasta brisa (procurando no llegar hasta el borde para evitar que se derrame durante la cocción), introducir en el horno a 180 °C (356 °F) durante 20 min. Una vez finalizada la cocción, enfriar y desmoldar.

Pastas,
pasteles y pastelitos

Alfajores

½ kg (17 oz) de harina
¼ kg (9 oz) de azúcar
6 yemas de huevo
1 clara de huevo
25 g (0,9 oz) de mantequilla
1 ct de levadura en polvo
50 g (1,8 oz) de coco rallado
1 bote de mermelada al gusto
Esencia de vainilla

- Mezclar la levadura con la harina y poner sobre una superficie ligeramente enharinada, formando un montón. Echar la mantequilla, las yemas, la clara, el azúcar y la vainilla; mezclar todo bien para formar una pasta, trabajar esta pasta bien con las manos y extender después con el rodillo enharinado.

- Con un vaso pequeño, cortar la pasta en discos. Poner estos discos en una placa engrasada y meter en el horno, a temperatura media-fuerte.

- Una vez cocidos y fríos, cubrir con un poco de mermelada, unir de dos en dos y espolvorear con el coco. Servir.

Almendrados

¼ kg (9 oz) de almendras crudas
¼ kg (9 oz) de azúcar
3 claras de huevo
Obleas

- Picar muy finamente las almendras, una vez desprovistas de la piel, y mezclarlas con el azúcar.

- Montar las claras a punto de nieve y juntar con los otros ingredientes hasta formar una pasta ni demasiado blanda ni demasiado dura, pero consistente. Ir poniendo montoncitos de esta pasta sobre las obleas. Disponer estas sobre una placa de hornear y cocerlas a horno moderado hasta dorarlas.

nendrados
de coco

- ar el horno a 170 °C (335 °F) y poner el papel de repostería andeja.

- recipiente, unir las claras de huevo, el azúcar, el coco ra- y el azúcar de vainilla y poner a calentar; remover y asegu- de que no llegue a hervir.

- ar del fuego y dejar reposar para que espese.

- ocar la masa en una manga pastelera de boquilla estrellada y nar las pastas en la bandeja con ella.

- ar la bandeja en el centro del horno a 150 °C (300 °F); dejar allí 10 min, hasta que las pastas adquieran un tono dorado.

Los ingredientes de esta receta están indicados para obtener 60 pastas.

Almendras
garrapiñadas

...car los ingredientes en un cazo de cobre y ponerlo al fuego ...te 30 min.

...una cuchara de madera, dar vueltas sin parar a las almen-...hasta que el azúcar haya agarrado muy bien.

...rar el cazo del fuego y, al momento, volver a acercarlo para ...el azúcar acabe de cristalizar del todo.

...grasar una superficie de mármol con aceite y verter el conte-...o del cazo sobre él, separando las almendras con una cuchara ...madera hasta conseguir que queden sueltas.

...a vez hayan enfriado, pueden degustarse o bien meterlas en tarros de cristal para su conservación y uso posterior.

Barquillos con crema
de queso a la lima

¼ kg (9 oz) de harina
125 g (4,4 oz) de mantequilla
100 g (3,5 oz) de azúcar glas
2 huevos y 2 yemas
⅛ l (4,2 fl oz) de leche
1 cs de azúcar de vainilla
1 dl (3,4 fl oz) de nata líquida
1 *petit suisse* natural grande
Mascarpone
3 limas
Ron

- En un recipiente, echar el azúcar glas, la mantequilla y el azúcar de vainilla y mezclar bien.
- A continuación, añadir los huevos y las yemas, y, finalmente, la leche, la nata líquida, el *petit suisse* y la harina, lentamente y sin dejar de remover. Reservar la masa resultante.
- Comenzar a elaborar la crema batiendo la nata con 50 g (1,8 oz) de azúcar glas.
- Por otra parte, batir las claras y el resto del azúcar glas hasta que alcancen el punto de nieve, y mezclar con la nata.
- Cortar una de las limas en rodajas. Reservar. Exprimir las otras dos y rallar las cortezas. Mezclar el zumo y la ralladura de lima con la nata batida, el ron y el mascarpone.
- Engrasar un molde para barquillos con mantequilla; echar la masa elaborada y poner a cocer.
- Cubrir la lima con azúcar glas y la crema de queso y adornar con las rodajas de lima que se habían reservado.

Bartolillos
de crema

25 g (0,9 oz) de manteca
de cerdo
50 g (1,8 oz) de mantequilla
¼ kg (9 oz) de harina
100 g (3,5 oz) de azúcar
Una pizca de sal
1 dl (3,4 fl oz) de leche
2 huevos
Aceite

Para el relleno de crema:
2 cs de maicena
3 yemas de huevo
1 palo de canela
125 g (4,4 oz) de azúcar
½ l (17 fl oz) de leche
1 piel de limón

- Poner 1 dl (3,4 fl oz) de leche, con la manteca derretida, en un bol; añadir la harina, los huevos, la pizca de sal y el azúcar. Trabajar todo hasta lograr una masa homogénea. Añadir la mantequilla en trocitos, mezclar bien y dejar reposar 1 h.

- Para preparar el relleno de crema, poner la leche con el azúcar, el palo de canela y la piel de limón en un cazo. Retirar del fuego en cuanto rompa a hervir y dejar reposar hasta que se enfríe. Batir las yemas, e incorporar la maicena y añadir 2 cs de la leche aromatizada. Una vez mezclado, echar todo al cazo y volver a poner al fuego, sin dejar de remover, hasta que espese. Retirar la canela y el limón.

- Estirar la masa y cortar en triángulos isósceles. Poner en cada uno 1 ct de crema, cerrar los bordes mojándolos y sellar con un cortapastas. Freír y espolvorear con canela y azúcar molidas.

Be

- Precalen[...] a con papel de [...]
- Batir las [...] idora eléctrica. [...]
- Justo cua[...] polvo y las avel[...]
- Dividir la [...] con dos cucharillas, colocar en la bandeja de hornear. Sobre cada besito, colocar una avellana.
- Hornear los besitos en la bandeja central del horno durante 20 min a 160 °C (320 °F). Retirar rápidamente del horno para evitar que se endurezcan.

3 claras
30 g (1 oz) de cacao en polvo sin azúcar
200 g (7 oz) de avellanas molidas
120 g (4,2 oz) de azúcar
30 avellanas

Bolas
de almendra

6 yemas de huevo
¼ kg (9 oz) de almendra molida
¼ kg (9 oz) de azúcar
Canela

- Batir las yemas con el azúcar. Incorporar la almendra y dejar al fuego hasta que la pasta endurezca. Revolver bien.
- Formar bolas. Mezclar azúcar glas y canela. Rebozarlas en la mezcla.

Bolas
de coco

¼ kg (9 oz) de coco rallado
¼ kg (9 oz) de azúcar
1 dl (3,4 fl oz) de agua

- Poner el agua y el azúcar a cocer durante 6 min, resultando un almíbar a punto de 'hebra gruesa' (véase 'almíbar, pág. 260). Echar el coco de una sola vez y mezclar bien.
- Apartar del fuego y, en caliente, formar las bolas y rebozarlas en azúcar corriente o en coco rallado.
- Presentar las bolas colocadas en cápsulas de papel.

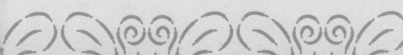

Bolas
de nuez

1 bote de leche condensada
pequeño
200 g (7 oz) de nueces ralladas
200 g (7 oz) de galletas maría
(en caso necesario, espesar
con alguna galleta más)

- Machacar las galletas hasta reducirlas a polvo y mezclarlas después con la leche condensada y las nueces ralladas.
- Trabajar bien y, cuando nos quede una pasta perfectamente ligada y muy cremosa, hacer bolas pequeñas de formas regulares. Rebozar en azúcar glas.

Bolas
de ron

200 g (7 oz) de bizcocho
de soletilla
100 g (3,5 oz) de chocolate
semiamargo
50 g (1,8 oz) de mantequilla
blanda
1 cs de mermelada
6 cl (2 fl oz) de ron
100 g (3,5 oz) de confites
de chocolate

- Mezclar la mantequilla, la mermelada, el ron y los bizcochos desmenuzados en un recipiente.
- Colocar 60 g (2,1 oz) de chocolate en un cazo al baño María y, cuando esté bien derretido, añadir a la masa anterior sin dejar de remover.
- Moldear la masa de modo que forme un cilindro estrecho y cortar en 50 trozos. Dar una forma redondeada a cada uno de ellos.
- Fundir los otros 40 g (1,4 oz) de chocolate al baño María. Introducir las bolas en él.
- Colocar los confites de chocolate en un recipiente y revestir las bolas con ellos.
- Situar las bolas en una rejilla y dejar secar el chocolate.

Bolitas
a la yema

200 g (7 oz) de almendra molida
1 yema
Un chorrito de coñac

- Formar una masa con todos los ingredientes, moldear las bolitas con las manos, pincharlas con un palillo y bañarlas en caramelo.
- Acondicionarlas en pequeñas cápsulas de papel marrón.

Bolitas
de leche condensada

1 bote de leche condensada
Chocolate puro

- Cocer el bote de leche condensada sin abrir y dejarlo unas 3 h bien cubierto de agua.
- Una vez cocido, formar unas bolitas, rebozarlas en el chocolate rallado y presentarlas en moldes de papel.

La leche condensada puede hacerse en olla de presión: necesitará entonces entre 1 h y 1 ½ h de cocción. El agua deberá cubrir la mitad del bote o algo más.

Bollitos
de nata

1 taza de nata
1 taza de azúcar
Una pizca de sal
2 huevos
La harina necesaria
para hacer una masa
4 ct de levadura

- Batir la nata con el azúcar y las yemas. Batir aparte también las claras a punto de nieve e incorporar a las yemas. Agregar igualmente la levadura y la harina.
- Hacer una masa que no se pegue a las manos, formar con ella bolas del tamaño de una nuez y ordenarlas sobre la placa de hornear, previamente untada con mantequilla.
- Colocar los bollitos separados unos de otros, pues crecen bastante.

Bombones
de almendras

½ kg (15 oz) de chocolate
superior
200 g (7 oz) de azúcar glas
300 g de almendras tostadas
2 ct de agua
Cacao y azúcar glas
para rebozarlos

- Moler o machacar las almendras hasta hacerlas pasta fina. Rallar después el chocolate y mezclar con las almendras y el azúcar glas. Añadir agua y revolver bien.

- Mezclar igual cantidad de azúcar glas que de cacao. Hacer luego unas bolitas del tamaño de una nuez con la pasta, aplastarlas un poco formando una base y rebozar en el azúcar glas y en el cacao.

- Dejar reposar durante 24 h y, a continuación, se pueden conservar durante mucho tiempo para tomar en algún momento especial.

Bombones
«roca»

2 tabletas de chocolate superior
(con o sin leche,
según los gustos)
Arroz inflado

- Derretir al baño María las dos tabletas de chocolate cortadas en trocitos. Una vez derretido, incorporarle 6 cs grandes (o alguna más) de arroz inflado, revolver mucho y dejar bien unido.

- Untar con mantequilla una placa de mármol o una fuente grande e ir formando montoncitos con la ayuda de dos cucharas, dejando que enfríen al aire sin llevar a la nevera para que no pierdan el brillo.

- Ya endurecidos, disponerlos en una bombonera de cartón o envolverlos en papel de celofán.

Borrachos
o borrachuelos

4 huevos
2 cs de harina
1 cs de levadura en polvo
¼ l (9 fl oz) de jerez
8 cs de almendras molidas
200 g (7 oz) de azúcar
Un poco de mantequilla
para engrasar

- Batir las claras de los 4 huevos a punto de nieve y, cuando estén bien subidas, añadir 4 cs de azúcar; seguir batiendo todo hasta que quede bien mezclado y agregar las yemas de los huevos sin dejar de batir.

- A continuación, añadir a la masa las 2 cs de harina y 1 cs de levadura en polvo. Cuando esté todo bien ligado, agregar la almendra y 2 cs de jerez.

- Remover y verter en un molde alargado untado de mantequilla; cocer a horno fuerte (con cuidado de que no se queme) durante 30 min, aproximadamente.

- Comprobar que está cocido cuando, al pincharlo con una aguja, esta salga limpia. Si se tuesta demasiado rápidamente, cubrir con un papel engrasado con mantequilla o con una lámina de papel de aluminio.

- Echar el resto del jerez y 4 cs de azúcar en un cazo y acercarlo al fuego.

- Cuando el bizcocho esté cocido, retirar del horno y dejar enfriar dentro del mismo molde. Volcar sobre la mesa (si ofrece resistencia, dar unos golpes al fondo del molde, o bien, ahuecar los bordes con el cuchillo).

- Cortar el bizcocho en cuadrados pequeños, colocarlos en moldes de papel y emborracharlos con el jerez caliente (poner el jerez con una cuchara).

*pelados y deshuesados,
corte los albaricoques en 2
o 3 trozos, rocíelos con el
aguardiente de mandarina y
déjelos reposar un ratito.
El azúcar se tamiza,
previamente molido, haciéndolo
pasar por un tamiz o cedazo.*

Buñuelos
de albaricoque

18 albaricoques
(pelados y deshuesados)
160 g (5,6 oz) de harina
2 huevos
2 cs de azúcar
1 ½ vaso de aceite
Un poco de agua
Unas gotas de licor
de mandarina
1 cs de azúcar tamizado
(mezclado con 1 cs
de canela en polvo)

- Separar las claras de las yemas, y batir las primeras en un bol a punto de merengue.

- En un cazo aparte, unir la harina, el azúcar, 1 ct de aceite, un poquito de agua y el licor a las yemas. Trabajar la mezcla bien para que no se formen grumos y, removiendo sin parar, agregar las claras a punto de merengue.

- Verter el aceite de oliva en una sartén y, cuando esté caliente, cubrir los albaricoques uno a uno con la pasta, y freírlos hasta que se vean bien doraditos.

- Nada más sacarlos de la sartén, dejarlos escurrir el exceso de aceite sobre una escurridera.

- A punto de servirlos, espolvorear con el azúcar y la canela mezcladas.

Buñuelos
de manzana

100 g (3,5 oz) de azúcar
1 dado de levadura
300 g (10,6 oz) de manzanas
ácidas
⅛ l (4,2 fl oz) de leche
2 huevos
75 g (2,6 oz) de margarina
½ kg (17 oz) de harina
50 g (1,8 oz) de pasas de Corinto
75 g (2,6 oz) de naranja
confitada

- Para elaborar la primera masa, echar azúcar y harina en una fuente. En el centro, formar un hoyo.

- Mientras se revuelve, mezclar la mitad de la leche con la levadura desmenuzada y verter en el hoyo. Cubrir con una tapadera y dejar esponjar en un sitio cálido durante 15 min.

- Derretir la margarina en el resto de la leche y añadir a la masa con los huevos batidos. Amasar la mezcla con las varillas de una batidora, hasta formar una bola de superficie lisa.

- Dejar fermentar esta bola en un lugar cálido para conseguir que doble su volumen.

- Pelar y partir las manzanas formando dados. Picar la naranja confitada en trocitos finos y añadir a la masa con los dados de manzana, las pasas de Corinto, trabajándola con las manos.

- Dejar esponjar la mezcla durante otros 15 min.

- En una freidora, calentar el aceite a 175 °C (375 °F).

- Con dos cucharas, extraer buñuelos de pequeño tamaño de la masa y freír durante 4 min aproximadamente hasta que se doren en el aceite caliente. Dar la vuelta a los buñuelos y, posteriormente, extraer del aceite, dejar escurrir y pasar por el azúcar.

Buñuelos
de plátano

4 plátanos
2 huevos
14 cs de leche fría
100 g (3,5 oz) de azúcar
200 g (7 oz) de harina
Azúcar glas
Canela en polvo
Sal
Aceite

- Separar las yemas de las claras. Batir las yemas muy bien y mezclar con una punta de sal y con la leche, removiendo hasta homogeneizar la mezcla. Aparte, batir las claras hasta montarlas a punto de nieve.

- Incorporaral batido de yemas, poco a poco, la harina y las claras a punto de nieve, removiendo suavemente con la cuchara de madera para que la mezcla quede perfectamente homogénea.

- Cortar los plátanos pelados en rodajas. Pasar estas rodajas por la pasta anterior y freír en abundante aceite, bien caliente. Finalmente, espolvorear los buñuelos con una mezcla de azúcar y canela.

Buñuelos
de viento

75 g (2,6 oz) de harina
2 huevos
1 dl (3,4 fl oz) de leche
½ dl (1,7 fl oz) de agua
25 g (0,9 oz) de mantequilla
25 g (0,9 oz) de azúcar
3 g (0,10 oz) de sal
1 cs de coñac o ron
La cáscara de 1 limón
½ ct de levadura en polvo
½ l (17 fl oz) de aceite
3 cs de azúcar fino

- Echar la leche, el agua, la mantequilla, la sal, el azúcar y el coñac en un cazo y agregar un trozo de la piel del limón.

- Poner al fuego y, cuando rompa a hervir, verter de golpe la harina, removiendo con la espátula hasta que la masa se despegue de las paredes del cazo y se concentre en la espátula; retirar y dejar enfriar.

- Una vez fría la masa, agregar 1 huevo y trabajar con la espátula. Cuando la masa lo absorba, echar el otro y proceder de igual forma.

- Una vez incorporados los huevos, añadir la levadura, mezclar bien, y formar los buñuelos del siguiente modo: tomar una bolita de pasta del tamaño de una nuez muy pequeña, redondear entre dos cucharas y freír en una sartén con abundante aceite no muy caliente (no deben echarse más de 4 o 5 buñuelos para que no se enfríe el aceite).

- Cuando hayan aumentado su tamaño al doble y se den la vuelta ellos solos, subir un poco más el fuego para que tomen un bonito color dorado. Entonces, poner en un escurridor de fritos para que suelten un poco la grasa y servir espolvoreados con azúcar fino.

Canutillos
de crema

Pasta de hojaldre
Crema pastelera
Azúcar glas

- Estirar bien la pasta de hojaldre hasta que quede muy fina. Enrollar sobre unos tubitos metálicos, procurando no cerrar los extremos.

- Colocar sobre una placa de horno y hornear a temperatura media hasta que estén doraditos.

- Sacar del horno y dejar enfriar un poco. Separar los canutillos de los tubos con cuidado, rellenar con la crema pastelera, espolvorear con azúcar glas y servir aún calientes.

Cañas
con merengue

Para hacer el merengue, mezclaremos el azúcar con el crémor tártaro únicamente si se va a conservar algún tiempo.

½ kg (17 oz) de masa
de hojaldre
4 claras de huevo
8 gotas de zumo de limón
2 cs de azúcar
100 g (3,5 oz) de azúcar molido
1 cs rasa de crémor tártaro
Esencia de limón

- Para hacer las cañas, formar una lámina con la masa de hojaldre, cortar en tiras de 10 cm (4 pulgadas), pintar el borde con huevo batido y enrollar en cañas de aproximadamente 2 cm (0,78 pulgadas) de grosor.

- Colocar en una placa de pastelería y meter 30 min a horno fuerte-moderado. Cuando estén bien doradas, retirar del horno, dejar enfriar un poco y quitar la caña.

- Rellenar con merengue, chantillí o crema y servir.

- Para hacer el merengue, poner las claras con las gotas de limón y batir a punto de nieve. Cuando tomen cuerpo, echar 2 cs de azúcar poco a poco y, al alcanzar punto de merengue, agregar el azúcar molido mezclado con el crémor tártaro y perfumar con 2 gotas de esencia de limón.

Cañas rellenas
de nata con menta

Pasta quebrada dulce:
½ l (17 fl oz) de nata montada
½ copita de licor de menta

Para la salsa de chocolate:
150 g (5 oz) de chocolate sin leche
2 dl (68 fl oz) de agua
1 ct colmada de mantequilla
1 ct de azúcar avainillado
3 cs de nata líquida

- Estirar la masa, formar tiras de 2 o 3 cm (0,78 o 1,18 pulgadas) de ancho con ella y enrollarlas en unos canutillos de acero inoxidable o de hojalata. Unir bien las junturas para que no se desenrollen y freír en abundante aceite caliente. Retirar, escurrir y dejar enfriar. Una vez frías, retirar de los canutillos.

- Terminada la tarea de freír, rellenarlas con la nata montada aderezada con el licor de menta y salpicarlas por encima con salsa de chocolate.

- **Para la salsa de chocolate:** poner un cazo al fuego y derretir el chocolate cortado en trocitos. Apartar del fuego y añadir la vainilla, la mantequilla y la nata. Poner de nuevo al fuego, tenerlo así 1 min sin dejar de remover y utilizarla en caliente.

- Ordenar las cañas en una fuente bonita y presentarlas con un poco de la salsa de chocolate por encima de las puntas.

Servir el resto de la salsa de chocolate en una jarrita.

El azúcar más conveniente es el de "blanquilla" de color blanco, soluble en agua y con un contenido mínimo en sacarosa de 99,7%.
Complemente la avellana con pequeñas cantidades de nuez o de almendra.
No conviene aromatizar la mezcla con canela, vainilla o licores.

Carajitos

Para 40 unidades:
1 kg (2,2 lb) de avellanas peladas sin tostar
1 kg (2,2 lb) de azúcar
Claras de huevo (las que precise)

- Pelar las avellanas perfectamente, procurando quitar bien todos los trozos de cáscaras.

- Triturar las avellanas con la picadora eléctrica o en un mortero hasta obtener un grano fino y homogéneo.

- Mezclar las avellanas molidas con el azúcar y añadir la clara de huevo, poco a poco, hasta conseguir una masa lo suficientemente espesa y que permita formar bolitas.

- Formar unas bolas del tamaño de una nuez grande y disponer en una placa de horno engrasada.

- Cocer en el horno a 200 °C (392 °F) durante unos 20 min hasta que queden dorados.

Carbayones
(1.ª fórmula)

Para 12 unidades
Masa de hojaldre

Para el relleno:
200 g (7 oz) de almendra molida
4 yemas y 2 claras
200 g (7 oz) de azúcar
½ copa de jerez dulce
o vino oloroso

Para el baño de yema:
4 yemas
4 cs de agua
300 g (10,6 oz) de azúcar

Para el baño blanco:
2 tacitas de agua
2 ½ tazas pequeñas de azúcar
Zumo de limón

- Forrar los moldes individuales, de tamaño grande y alargados (8-10 cm –3,15-4 pulgadas–), con la masa de hojaldre laminada muy fina.

- Preparar un relleno con la almendra, el azúcar, las yemas, el jerez y las claras ligeramente batidas, procurando que esta pasta esté bien homogénea. Colocar el relleno sobre el hojaldre de los moldes, cerrar y hornear a horno fuerte procurando que se haga bien el hojaldre y no se queme el relleno. El baño de yema se elabora a punto de hebra fuerte en un cazo aparte; verter sobre él las yemas, y acercándolo al fuego, batir todo muy bien, hasta que espese. Sacar los carbayones del molde y extender una fina capa de este baño de yema sobre cada uno.

- Elaborar aparte un almíbar fuerte (baño blanco) al que se le habrán añadido unas gotas de limón, y batir hasta que se blanquee. Bañar superficialmente los carbayones con él. Finalmente, disponerlos en moldes rizados.

Carbayones
(2.ª fórmula)

¼ kg (9 oz) de harina
¼ kg (9 oz) de azúcar
100 g (3,5 oz) de almendra
muy molida
6 huevos
100 g (3,5 oz) de mantequilla
1 copa de licor

- Preparar una pasta de hojaldre (véase receta pág. 262), estirarla con el rollo y forrar con ella pequeños moldes alargados.

- Para preparar el relleno, separar yemas y claras. Batir las yemas y, antes de terminar, agregar 3 cs de azúcar; concluir el batido procurando que queden muy espesas.

- Batir las claras junto con otras 3 cs de azúcar hasta que estén firmes. Mezclarlas con las yemas y añadir la almendra, 6 cs de harina, 100 g (3,5 oz) de mantequilla fundida y la copa de licor. Procurar que todo quede bien mezclado, pero no batido.

- Con este preparado, rellenar los moldes y meter a horno moderado hasta que el hojaldre esté a punto. Dejar enfriar, sacar de estos moldes, colocar en otros de papel rizado y, finalmente, bañarlos con cobertura blanca o con dulce de yema.

Casadielles

½ kg (17 oz) de masa
de hojaldre
130 g (4,5 oz) de nuez molida
80 g (2,8 oz) de azúcar
2 cs de anís
Mantequilla

- Estirar la masa con el rodillo y cortarla en rectángulos. Mezclar la nuez (en algunos lugares, también se incluyen avellanas torradas y machacadas) con el azúcar, el anís y la mantequilla, y poner 1 ct de esta mezcla sobre cada porción de la masa.

- Enrollar cada rectángulo, uniendo los bordes con el tenedor, e introducir en el horno o freír en aceite caliente hasta que se doren; espolvorear con azúcar.

Delicias
de almendra

100 g (3,5 oz) de azúcar
½ vaso de agua
1 ct de café muy fuerte
2 claras de huevo
50 g (1,8 oz) de almendra picada

Se pueden hacer también con nueces y avellanas.

- Preparar con el azúcar y el agua un almíbar a punto de bola (se sabe que el almíbar está en este punto cuando, al echar una gota en un plato frío, forma una bola). Antes de separarlo del fuego, ponerle 1 ct de café.

- Batir las claras a punto de nieve y, una vez bien montadas, distribuir poco a poco sobre el almíbar sin dejar de remover y colocando luego las almendras picadas.

- Untar con mantequilla la placa de hornear e ir poniendo montoncitos de esta masa. Cocer a horno muy suave y engalanar con una almendra.

Figuritas
de mazapán

200 g (7 oz) de almendras molidas (crudas)
200 g (7 oz) de azúcar molida glas
1 clara de huevo
1 yema de huevo
Mantequilla

En caso de que la masa quede demasiado blanda para moldearla, añadir un poco de coco rallado.

- Preparar la clara de huevo en un vaso y revolver con un tenedor pero sin batir. Reservar la yema en otro vaso.

- El azúcar, molido finamente como si fuese harina (para que la masa de mazapán se una bien) no se debe amasar, sino mezclar durante 5 min.

- En un cuenco, echar la almendra molida y el azúcar y, muy despacio, ir echando la clara (sin echarla toda), hasta conseguir una masa moldeable. Formar una bola, taparla y dejarla en el frigorífico 30 min.

- Formar figuritas redondas, cuadradas, en forma de panes, roscas, peces, etc.

- Colocar las figuritas en una placa engrasada con mantequilla. Barnizar con la yema por encima. Antes de introducirlas en el horno, calentar el horno durante 10 min y mantener dentro muy poco tiempo, alrededor de 3 min como máximo (si se dejan más, se endurecerían demasiado).

- Una vez fuera del horno y aún calientes, barnizar de nuevo por encima con la yema reservada.

Flores
(1.ª fórmula)

150 g (5 oz) de harina
2 dl (6,7 fl oz) de leche templada
o fría
1 huevo
1 ct de azúcar
1 vaso pequeño de anís o coñac
1 ct de levadura en polvo
Sal
Azúcar glas
Canela
Aceite

- Poner la harina en una vasija formando un círculo en el centro; echar la sal, el azúcar, el licor y el huevo en él, mezclar con 1 ½ dl (5 fl oz) de leche y dejar reposar.

- Poner aceite en una sartén hasta la mitad, calentar un molde en el aceite y meter en la masa, teniendo cuidado de que no rebose los bordes del molde, pues en este caso no se puede desprender.

- Cuando esté dorada, retirar, separar del molde y dejar escurrir. Para hacer otra flor, volver a calentar el molde y repetir la misma operación. Si la masa espesa, aligerar con leche.

- En el momento de servir, colocar en una fuente y espolvorear con azúcar glas y canela o rociar con miel.

La pasta puede hacerse también en la batidora y con zumo de limón en lugar del licor. Ha de estar lo más suave posible para que se agarre bien en el molde y luego se desprenda con facilidad. Aunque las primeras salgan un poco gruesas, es mejor aligerar la pasta una vez que el molde está templado, pues las primeras son más difíciles de hacer, sobre todo, si no se tiene mucha práctica.

Después de hechas las flores, guarde el molde [todavía untado con el aceite] sin lavarlo, envuelto en un papel empapado en aceite. Si la masa le resulta demasiado espesa, añádale más leche hasta que logre la consistencia deseada.

Flores
(2.ª fórmula)

- Poner una sartén de fondo hondo al fuego. Verter aceite en ella. Cuando el aceite esté caliente, disponer el molde de las flores para que vaya calentando también.

- Desleír la harina con la leche, y batir la mezcla resultante hasta formar una pasta homogénea y sin grumos.

- Acto seguido, incorporar los huevos batidos y el anís, procurando que la pasta no quede demasiado espesa.

- Ya bien caliente, sumegir el molde de las flores en la pasta y, seguidamente, trasladarlo a la sartén para que la pasta se fría.

- Después de dorar las flores por ambos lados, dejarlas escurrir dispuestas sobre papel absorbente.

- Al finalizar de preparar todas las flores, espolvorear con azúcar y canela antes de servirlas.

40 cl (13,5 fl oz) de leche
200 g (7 oz) de harina
4 huevos
1 chorrito de anís seco
Azúcar
Canela
Aceite

Frutas
de sartén

200 g (7 oz) de azúcar
12,5 dl (42 fl oz) de aceite
de oliva
½ copa de anís
2 kg (4,4 lb) de harina
2 cs de miel
½ l (17,5 fl oz) de agua

- Calentar el agua hasta que esté templada; luego, retirarla del fuego y añadir la miel y el azúcar. Cuando ambos se hayan disuelto bien, echar la harina poco a poco, y batir al tiempo con unas varillas. Nada más adquirir consistencia, verter el aceite caliente –sin humear–, disolver en la masa y seguir echando harina para que adquiera firmeza. Agregar la copa de anís y la harina para que la masa quede compacta.

- En una bandeja rectangular, disponer un paño formando «canales» y espolvorear con harina. Cortar la masa en pedazos pequeños, dejar uno junto a otro sin que lleguen a rozarse, espolvorear con harina y tapar con un paño. Tras dejar reposar la masa 2 ½ h, untar con un poco de aceite y darle forma circular. Freír las frutas de sartén con esta forma y espolvorear de azúcar para su posterior degustación.

Galletas
de nata (1.ª fórmula)

1 taza de nata
1 taza de azúcar
2 cs de ralladura de limón
1 ct de canela
Harina (la que admita)

- Mezclar la nata, el azúcar, la ralladura de limón y la canela e incorporar harina hasta que forme una masa que no se pegue a las manos.

- Estirar la masa con un rodillo hasta dejar una lámina de 0,5 cm (0,02 pulgadas) de grosor. Cortar con un vaso o con el cortapastas y colocar las galletas en una placa de horno espolvoreada con harina.

- Meter a horno moderado hasta que tomen un color dorado durante 10 o 15 min. Retirar, dejar enfriar y servir.

Galletas
de nata (2.ª fórmula)

1 taza de nata
1 taza de azúcar
Harina (la necesaria
para la masa)

- Batir la nata con el azúcar, agregar la harina y amasar hasta que la mezcla no se pegue a las manos.

- Estirar la masa con el rodillo y cortar las galletas con el borde de un vaso o con el cortapastas. Llevar al horno en la placa ligeramente untada de mantequilla y retirar una vez doradas.

Galletas
inglesas

¼ kg (9 oz) de harina
75 g (2,6 oz) de mantequilla
Una pizca de sal
1 ½ dl (5 fl oz) de leche

- Mezclar la harina con la leche y añadir la mantequilla bien trabajada. Dejar en reposo unos minutos.

- Estirar la pasta con el rodillo, hasta dejarla de un grosor de 3 o 4 mm (0,11-0,15 pulgadas). Cortar con un cortapastas cuadrado o redondo, pinchar con las puntas de un tenedor haciendo agujeros pequeños y hornear a fuego moderado hasta que estén doradas.

Huesos
de santo

300 g (10,6 oz) de azúcar
1 dl (3,4 fl oz) de agua
300 g (10,6 oz) de almendras tostadas
3 claras de huevo
1 limón
3 cs de azúcar glas
Relleno al gusto

- Hervir en un cazo, al fuego, el agua con el azúcar y unas gotas de limón, hasta obtener un almíbar de hebra fuerte. Moler las almendras hasta convertirlas en harina y unirlas con el almíbar y con las claras de huevo, sin batir, trabajando la mezcla con una cuchara de madera, unos 2 o 3 min sobre el fuego.

- Cuando haya pasado el tiempo indicado, echar la masa sobre un mármol espolvoreado con el azúcar glas, estirarla con un rodillo y cortar tiras de unos 7 cm (2,76 pulgadas) de largo por 5 cm (1,97 pulgadas) de ancho; enrollarlas en unos tubos delgados de repostería. Colocar estos tubos en una placa de horno y meterlos al horno, solo para que se sequen.

- Se pueden rellenar, una vez retirados los tubos, con yema o con membrillo; también se comen solos.

ara dorar los mazapanes, mezclar na yema de huevo con azúcar molida y, con un pincel, bañarlos ntes de meterlos al horno a fuego muy fuerte para que se doren pronto y no se sequen. Al hacer la masa, se le puede añadir un poco de patata cocida o fécula de patata en copos; de esta manera, los mazapanes quedan más jugosos, pero pierden calidad.
También se pueden aromatizar mezclando en la masa unas almendras amargas o unas gotas de esencia de almendras amargas.

Mazapanes

600 g (21,2 oz) de azúcar molida glas
La ralladura de ½ limón
700 g (24,6 oz) de almendras
Obleas

- Escaldar las almendras en una cazuela con agua hirviendo. Una vez escurridas, quitarles la piel y triturarlas hasta que queden un poco harinosas, pero sin perder la humedad.

- Añadirles el azúcar y la ralladura de limón, y mezclar todo bien hasta conseguir una masa uniforme.

- Tras dejarla reposar unos instantes, tomar pequeñas porciones de masa y, con ellas, ir haciendo los mazapanes. Luego, disponer sobre una fuente de horno en la que se habrán colocado previamente unas obleas.

- Introducir en el horno a temperatura fuerte y dejar dorar ligeramente. Después, retirar y dejar que pierdan un poco el calor, antes de pasarlos por un baño de almíbar suave. Servir una vez hayan enfriado.

Orejas
(1.ª fórmula)

6 huevos
100 g (3,5 oz) de mantequilla
Agua templada
Sal
Anís
25 g (0,9 oz) de levadura
prensada o de panadero
300 g (10,6 oz) de azúcar

- Hacer un volcán y colocar primero en el centro los huevos y la levadura, y después ir agregando un poco de agua, la mantequilla, el anís y la sal. Amasar bien y dejar que fermente 30 min aproximadamente.
- Estirar la masa bien fina en la mesa, cortar en forma de oreja y freír en aceite bien caliente, dándoles la forma con la ayuda del tenedor y, cuando estén doradas, sacar y espolvorear con azúcar.

Orejas
(2.ª fórmula)

¾ kg (26,5 oz) de harina
de trigo
6/8 huevos
1 pocillo de mantequilla cocida
2 copas de anís
Ralladura de limón
Canela
Azúcar

- En un bol, batir muy bien los huevos, la mantequilla, un poco de azúcar, la ralladura de limón y el anís hasta que quede todo bien mezclado.
- Ir añadiendo la harina poco a poco y removiendo con constancia hasta lograr una masa un poco más blanda que la del pan. Amasar cuidadosamente con las manos y dejar reposar.
- Colocar la masa sobre una superficie enharinada e ir estirando con una botella de vidrio engrasada con aceite hasta formar una lámina muy fina. Cortar rectángulos de aproximadamente 10 x 15 cm (4 x 5,9 pulgadas), estirarlos y afinar un poco más.
- En una sartén puesta al fuego con abundante aceite, ir friendo las orejas hasta que tomen color por todos los lados. Servir espolvoreadas con azúcar.

Palitos
de anís

1 huevos
3 cs de azúcar glas
1 cs de anís, bien colmada
1 ct de levadura
½ tacita de aceite
Harina (la necesaria para hacer una masa)
Un pellizco de sal

- Batir muy bien el huevo, añadirle el azúcar y continuar batiendo. Incorporar seguidamente el anís y la levadura, acompañar también el aceite y la harina, y formar una masa que no se pegue a las manos.

- Ir tomando pellizcos de masa y formar con ellos los palitos entre las manos. Freírlos en abundante aceite no demasiado caliente y espolvorear con azúcar glas.

- Al retirarlos del aceite, depositarlos sobre papel absorbente (sirven servilletas de papel) y dejarlos hasta que eliminen parte de la grasa.

Pastas
de té

½ kg (9 oz) de harina
300 g (10,6 oz) de mantequilla
4 yemas
200 g (7 oz) de membrillo
1 cs de levadura
160 g (5,6 oz) de azúcar
Un pellizco de sal

- Mezclar la harina y la levadura. Batir aparte la mantequilla con el azúcar, dejarla cremosa y, tras añadir las yemas, ir incorporando la harina lentamente hasta ligar todos los ingredientes.

- Formar un rollo con la masa y hacer en rodajitas, o estirar con el rodillo y cortar con el cortapastas o un vaso, haciendo pastas de 1 cm (0,4 pulgadas) de grosor.

- Derretir el membrillo en un chorro de agua caliente. Hacer luego un hueco en el centro de cada pasta presionando con la punta de un dedo y rellenar con el membrillo derretido.

- Se pueden engalanar con una almendra, avellana, chocolate fundido, etc., dibujar después con huevo batido y, como final, hornear dispuestas un poco separadas.

Pastelillos
de boniato

Para la pasta:
¾ kg (26,5 oz) de harina
¼ kg (9 oz) de azúcar
2,5 dl (8,5 fl oz) de aceite
1 dl (3,4 fl oz) de aguardiente
150 g (5 oz) de manteca
de cerdo (sagí)
2 huevos

Para el relleno:
½ kg (17 oz) de boniato
½ kg (17 oz) de azúcar
1 limón
Canela

- **Confección de la pasta:** calentar el aceite y disolver la manteca y el azúcar en él sin dejar de remover. Una vez retirado del fuego, verter el aguardiente. Poco a poco, añadir la harina y amasar hasta obtener una masa fina.

- Batir una yema con el otro huevo completo, e incorporar este batido a la masa para amasarlo con ella. La masa se divide en bolas del tamaño de una nuez; aplanar y, en cada una, depositar 1 cs del relleno, y cerrar haciendo presión sobre sus bordes. Previamente espolvoreadas con azúcar y canela, pasar al horno a 150 °C (302 °F) entre 15 y 20 min para que se dore su exterior.

- **Confección del relleno:** tras asar o cocer los boniatos, reducir su pulpa haciéndola puré. Cocer la pulpa en una cazuela (mezclada con la ralladura del limón, el azúcar y la canela) a fuego lento 30 min, removiéndola.

Pastelillos
de dulce a la criolla

- Agregar la mantequilla a la mezcla de harina, levadura y sal. Mezclar todo a fondo y echar el agua en hilo delgado, hasta formar una masa fina. Dejar descansar 15 min y estirar luego dejándola más bien delgada. Untarla con el resto de la mantequilla ablandada y espolvorear con harina.

- Doblar en dos y espolvorear otra vez de harina; doblar de nuevo la masa, de forma que quede en cuatro hojas. Estirarla, dejarla de grosor fino y cortar en cuadrados de 8 cm (3,15 pulgadas) de lado.

- Depositar un poco de dulce de membrillo en el centro de estos, mojar los bordes con agua y tapar con otros cuadrados. Presionar alrededor del relleno y aplastar bien los bordes.

- Freír en abundante aceite tibio y, con una cuchara, ir regando por encima con el aceite hasta que los pastelitos esponjen. Aumentar el calor para que se doren rápidamente.

- Al retirarlos de la sartén, bañarlos con almíbar caliente que tendremos preparado.

300 g (10,6 oz) de harina
2 cs de levadura en polvo
125 g (4,4 oz) de mantequilla
¾ de taza de agua fría
150 g (5 oz) de dulce
de membrillo
Aceite

Pastitas
de chocolate

- Desmigar los bizcochos, amasarlos con la mantequilla y mezclar con el chocolate rallado y las almendras picadas.

- Hacer rollitos, mantener las pastitas formadas en la nevera varias horas y tomarlas como postre o como acompañamiento de cafés y tisanas.

100 g (3,5 oz) de bizcochos
1 cs colmada de mantequilla
50 g (1,8 oz) de chocolate
sin leche
6 almendras picadas

Perrunillas

400 g (14 oz) de manteca de cerdo
400 g (14 oz) de azúcar
1 poquito de canela
2 yemas
1 huevo entero

- Batir bien la manteca con el azúcar y, cuando esté espumosa, incorporar las yemas y el huevo entero. Revolver e ir añadiendo la harina poco a poco, hasta conseguir una masa que no se pegue a las manos; amasar bien.

- Ir pellizcando porciones de la masa y formar bolas o hacer de forma alargada, como una croqueta. Barnizar con clara batida y espolvorear con azúcar. Dejar a horno fuerte hasta que se doren.

Pestiños

400 g (14 oz) de harina
1 taza de aceite caliente
Unos granos de anís
2 tazas de vino blanco
½ kg (17 oz) de miel
Aceite

- Mezclar la harina en un bol con el aceite caliente, el vino blanco también caliente y unos granos de anís. Volcar sobre la mesa de trabajo previamente enharinada y formar una masa que no se pegue a las manos. Estirar bien con el rodillo hasta dejar la pasta muy fina.

- Cortar a continuación en tiras de 5 cm (1,97 pulgadas) de largo por 3 cm (1,18 pulgadas) de ancho y freírlas en abundante aceite; o enrollarlas en un dedo enharinado y dejarlas caer en la sartén; o hacer de forma ovalada.

- De cualquier modo, freírlas en abundante aceite y ponerlas a escurrir.

- Hervir ¼ kg (9 oz) de miel en un chorro de agua, ir sumergiendo en ella los pestiños y colocarlos así preparados en una fuente de cristal.

Petit choux

Para 23 *petit choux*:

¼ l (9 fl oz) de agua

75 g (2,6 oz) de mantequilla

2 cs de azúcar

Una pizca de sal

12 cs rasas de harina

3 huevos

- Preparar un cazo con el agua, la mantequilla, el azúcar y la sal. Acercar al fuego y, al romper a hervir, aportar la harina. Ligar todo a fondo fuera del fuego, revolviendo rápidamente. Poner a enfriar.

- Ya en frío, incorporar los huevos enteros uno a uno (si fuesen pequeños, puede ser hasta cuatro).

- Llenar una manga pastelera sin boquilla y hacer tiras con ella sobre una fuente de hornear, dejándolas separadas unas de otras porque crecen bastante.

- Abrir con unas tijeras, rellenar con crema y darle por encima un baño de caramelo o chocolate.

Pirámide
de *petit choux*

Para los *petit choux*:
¼ l (9 fl oz) de agua
75 g (2,6 oz) de mantequilla
2 cs de azúcar
1 pizca de sal
12 cs rasas de harina
3 huevos, o 4 si son pequeños
½ l (17 fl oz) de nata

Para la crema de chocolate:
¼ kg (9 oz) de chocolate sin
leche (mejor *fondant*)
80 g (2,8 oz) de mantequilla

- **Para los *petit choux*:** mezclar el agua, la mantequilla, el azúcar y la sal en un cazo. Acercar al fuego y, al romper a hervir, echar la harina toda junta y de un golpe. Apartar del fuego, revolver con brío y dejar que enfríe.

- Una vez fría la crema, ir incorporando uno a uno los huevos enteros.

- Llenar una manga pastelera sin boquilla con la pasta y hacer tiras sobre una fuente de hornear ligeramente untada con mantequilla, de forma que queden separadas para que al momento del horneo no lleguen a tocarse.

- Ya en frío, rellenar los *petit choux* de nata montada con una jeringuilla de confitero o una manga pastelera de boquilla fina, y acondicionarlos sobre una fuente redonda formando una pirámide.

- **Para la crema de chocolate:** cortar el chocolate en trocitos y, sin dejar de remover, derretirlos en un cazo con 2 cs de agua. Una vez derretido, incorporar la mantequilla, revolver de nuevo y verter la crema de chocolate sobre la pirámide de *petit choux*.

- Como punto final, salpicar con unos montoncitos de nata.

Polvorones

125 g (4,4 oz) de manteca
de cerdo
¼ kg (9 oz) de harina
125 g (4,4 oz) de azúcar

- Mezclar la manteca de cerdo y el azúcar, y trabajar la mezcla. Tostar la harina y añadírsela.

- Formar bolitas con la masa y aplanarlas. En vez de llevarlos al horno, envolverlos en papel de seda.

Profiteroles

Para la masa:

30 g (1 oz) de mantequilla
75 g (2,6 oz) de harina
2 huevos
Una pizca de sal
Una pizca de levadura en polvo
⅛ l (4,2 fl oz) de agua

Para el relleno:

125 g (4,4 oz) de nata
½ sobre de azúcar de vainilla

- Para hacer la masa, poner a hervir el agua con la sal y la mantequilla. En cuanto se derrita la mantequilla, retirar del fuego.

- Echar la harina de golpe y remover con fuerza. Poner de nuevo al fuego y remover hasta que la masa se desprenda del fondo y forme bola.

- Cambiar la pasta a un bol grande y añadir 1 huevo. Dejar que se enfríe hasta que quede templada. Añadir el otro huevo y la levadura. Mezclar bien.

- Precalentar el horno a 180 °C (350 °F). Engrasar una placa de horno con mantequilla y espolvorearla con harina.

- Llenar una manga pastelera con la masa y formar unas bolas del tamaño de una nuez con ella sobre la placa.

- Salpicar la placa con unas gotas de agua fría y poner en la parte baja del horno durante 35 min.

- Sacar del horno, desprender con cuidado y dejar enfriar sobre una rejilla.

- Batir la nata con el espesante y el azúcar de vainilla. Llenar una manga pastelera con boquilla puntiaguda y rellenar los profiteroles con ella.

- Para la salsa, desmenuzar los chocolates y disolverlos al baño María. Añadir la mantequilla en trocitos. Batir la nata y mezclarla con el café instantáneo. Juntarla con el chocolate.

- Colocar los profiteroles en copas altas de postre y rociarlos con la salsa justo antes de servir.

Rosquillas

200 g (7 oz) de mantequilla
800 g (28 oz) de harina
360 g (12,8 oz) de azúcar
2 yemas

- Batir la mantequilla con el azúcar, hasta que esté cremosa, y agregar una yema bien batida y la harina. Amasar hasta formar una masa fina.

- Estirar, cortar en tiras y formar rosquillas medianas. Pintarlas por encima con la otra yema, colocar sobre una placa de horno y dejarlas a horno moderado hasta que se doren.

Rosquillas anisetti

3 huevos
3 cs de aceite
10 cs de azúcar
La ralladura de 1 limón
La harina necesaria
para hacer una masa
Aceite
1 copita de granos de anís

- Preparar la masa con todos los ingredientes, menos el anís. Estirarla sobre la mesa de trabajo enharinada y cortarla en tiras para hacer las rosquillas.
- Poner a calentar el aceite con los granos de anís, cuidando de que no se quemen. Cuando hayan perfumado el aceite, retirarlos con una espumadera y freír las rosquillas hasta que estén doradas.

Rosquillas
de nuez moscada

⅔ de taza de azúcar
3 tazas de harina
100 g (3,5 oz) de mantequilla
o nata
4 ct de levadura
Un poquito de sal
1 ct de nuez moscada rallada
1 huevo
⅔ de taza de leche
½ tacita de aceite

- Batir la mantequilla y, cuando esté cremosa, agregarle el azúcar. Trabajar todo junto y acompañar el huevo batido. Mezclar aparte la harina, la nuez moscada y la sal e incorporar esta preparación a la mantequilla. Regar con la leche vertida poco a poco y, en caso necesario, añadir más harina hasta formar una masa consistente que se pueda amasar.
- Disponer la masa sobre una tabla enharinada y estirar con el rodillo en una capa de 1 cm (0,4 pulgadas) de grosor. Si no se tiene cortapastas para rosquillas, cortar los redondeles con la boca de un vaso y hacerles un agujero enmedio (con un dedal, un descorazonador de manzanas o con el dedo), freír en abundante aceite, escurrir sobre papel absorbente y espolvorear con azúcar glas.

Rosquillas
de san Isidro

600 g (21,2 oz) de harina floja
150 g (5 oz) de aceite de oliva
virgen suave
1 ct de moca de anises
1 ct de levadura
½ copita de aguardiente
175 g (6,2 oz) de azúcar
5 huevos
Una pizca de canela

Para el baño:
Claras de huevo
Agua
Azúcar
Limón

- Batir los huevos con el azúcar hasta que este deje de «chirriar». Incorporar la harina mezclada con la levadura y el resto de ingredientes. Amasar removiendo todo bien y hacer una bola. Envolver en un paño limpio humedecido y dejar reposar 1 h.

- Moldear varias bolas pequeñas, aplastar bien y hacer un agujero en el centro, dándoles así forma de rosquillas. Poner en una bandeja de horno engrasada, dejando espacio entre ellas para que no se peguen al crecer. Precalentar el horno y meter las rosquillas entre 10 y 12 min.

- Para el baño, batir las claras con el azúcar y el agua hasta lograr una masa homogénea. Añadir el limón y mezclar bien. Bañar las rosquillas con esto, una vez frías, y meter en el horno, todavía caliente pero ya apagado, hasta que el baño se seque.

La placa de horno debe barnizarse con aceite y espolvorearse con un poco de harina, para evitar que las rosquillas se peguen.
El baño ha de secarse con el horno apagado, pues la glasa debe quedar blanca. Pueden ponerse a secar en la puerta del horno.

Rosquillas
fritas del Casar

4 huevos
800 g (28 oz) de harina
15 g (0,5 oz) de levadura
en polvo
4 cs de nata
Aceite de oliva
Canela en polvo
Anís estrellado
Corteza de limón
Azúcar

La masa de las rosquillas se puede aromatizar con distintos aromas, por ejemplo el anís, y de esta forma ganar en sabor.

- Separar las yemas de las claras de los 4 huevos, y batir las yemas con 150 g (5 oz) de azúcar. Por otro lado, montar las claras con 100 g (3,5 oz) de azúcar.

- Calentar 4 cs de aceite de oliva junto con el anís estrellado y la corteza de limón y dejar enfriar. Una vez frío, incorporar a las yemas junto con 4 cs de nata, 15 g (0,5 oz) de levadura y 800 g (28 oz) de harina.

- Trabajar la masa con las manos hasta conseguir que sea firme, homogénea y elástica, e incorporar las claras en este momento para conseguir una masa más etérea.

- Una vez reposada la masa, proceder a formar las rosquillas, que se fríen en abundante aceite aromatizado con corteza de limón y anís estrellado. Para finalizar, pasar las rosquillas, antes de que se enfríen para que se adhieran mejor, por una mezcla de azúcar y canela en polvo.

Sequillos

1 ½ l (51 fl oz) de aceite
1 kg (2,2 lb) de harina de trigo
36 huevos
1 kg (2,2 lb) de azúcar

- En un recipiente, echar el aceite, la harina y 24 huevos más las yemas de los otros 12. Batir bien la mezcla hasta conseguir una masa fina.

- Tomar porciones de esa masa e ir haciendo unos rulitos de unos 6 cm (2,36 pulgadas) de largo, y 1 ½ (0,6 pulgadas) de ancho. Colocarlos en una bandeja de hornear y meterlos al horno durante 25 min.

- Batir las 12 claras restantes a punto de nieve, añadiéndoles poco a poco el azúcar sin parar de batir. Sacar los sequillos del horno y decorarlos según el gusto con la mezcla preparada.

- Dejar 24 h y ya están listos para comer.

Sobaos pasiegos

- Mezclar la mantequilla previamente reblandecida en un bol con el azúcar, los huevos batidos, el ron y una pizca de sal.

- En otro recipiente aparte, echar la harina con la levadura en polvo, y añadir también al resto de los ingredientes.

- Remover enérgicamente todo junto hasta conseguir una masa homogénea y sin grumos.

- Sobre unos moldes de papel de cera, o una placa de hornear untada con mantequilla, verter la masa hasta llegar en ambos casos a la mitad.

- Llevar los moldes así preparados al horno precalentado a unos 180 °C (356 °F), para dejarlos aproximadamente unos 15 min.

¼ kg (9 oz) de mantequilla
¼ kg (9 oz) de harina
¼ kg (9 oz) de azúcar
1 sobre de levadura
en polvo
1 cs de ron
3 huevos
Sal

Soplillos

1 tacita pequeña de vino blanco
1 tacita pequeña de aceite
1 tacita pequeña de anís
El zumo y la ralladura
de 1 naranja
Un poquito de vainilla
Aceite para freír
Harina

- Añadir la harina a los ingredientes puestos en un recipiente poco a poco, al tiempo que se amasan hasta conseguir una pasta fina que se pueda trabajar con el rodillo.

- Dejar reposar la masa obtenida 15 min, aunque si se prolonga este tiempo, no importa.

- Con un rodillo de amasar, extender la masa hasta formar una lámina cuadrada muy delgada, que se corta en forma de rombos.

- Freír los trozos formados en abundante aceite, para después colocarlos en una fuente y espolvorearlos con azúcar.

Para la realización de esta receta puede utilizar muchos ingredientes diferentes para aromatizar la masa: ralladura de limón, canela, etc.; incluso puede suprimir el anís, si no es del gusto de los comensales.

Suspiros
de monja

200 g (7 oz) de manteca
de cerdo
400 g (14 oz) de azúcar
½ l (17 fl oz) de agua
1 corteza de limón
1 kg (2,2 lb) de harina
5 huevos
Aceite de oliva virgen extra

- En una olla puesta al fuego, echar la manteca, el azúcar y la corteza del limón; luego, añadir el agua y dejar cocer a fuego lento.

- A continuación, poner la harina, haciéndola hervir hasta que se forme una masa homogénea.

- Tras mezclar los huevos con la preparación anterior, ligar bien todo hasta conseguir que se forme una masa perfecta.

- Sobre una superficie plana, extender la masa formada y cortar en cuadraditos de igual tamaño.

- Freír los cuadraditos formados en una sartén con aceite caliente, para retirarlos una vez hechos y servirlos espolvoreados con azúcar.

Corte cuadraditos de 1 cm [0,4 pulgadas] por cada lado. Para saber si la masa está en su punto, compruebe que se despega fácilmente del recipiente. Una vez fritos los cuadraditos, deles un punto de canela para hacerlos más gustosos.

Tejas
de almendra

100 g (3,5 oz) de almendras molidas
2 claras de huevo
100 g (3,5 oz) de azúcar
70 g (2,4 oz) de harina
1 cs de mantequilla
La ralladura de 1 limón

- Batir las claras a punto de nieve y añadir el azúcar, la ralladura de limón, la harina, la mantequilla y las almendras; mezclar despacio.
- Con una cuchara, tomar pequeñas porciones y poner en una placa de hornear, previamente untada con mantequilla.
- Introducir en el horno a temperatura media y retirar cuando estén doradas.

Teresitas

¼ kg (9 oz) de harina
100 g (3,5 oz) de mantequilla cruda
25 g (0,9 oz) de manteca cocida
½ dl (1,7 fl oz) de vino blanco
1 dl (3,4 fl oz) de agua
5 g de levadura prensada
1 ct de azúcar
1 pizca de sal

- Poner al fuego una cazuela con agua, vino blanco y manteca. Con el primer hervor, retirar del fuego, esperar a que temple y disolver la levadura; dejar enfriar.
- Colocar la harina sobre la superficie de trabajo en forma de círculo y verter el líquido anterior en el centro, mezclándolo bien.
- Extender esta masa con el rollo y añadir la mantequilla, como si fuera hojaldre. Extender de nuevo, procurando que quede muy fina.
- Elaborar las teresitas rellenándolas de crema y dándoles forma cuadrada. Freír en abundante aceite o manteca muy caliente. Ya fritas, rebozar en azúcar.

Trufas
de chocolate (1.ª fórmula)

2 yemas de huevo
3 cs de azúcar glas
100 g (3,5 oz) de mantequilla
150 g (5 oz) de chocolate
sin leche
1 cs de café soluble
2 cs de *brandy*
Cacao o chocolate rallado

- Diluir el café soluble en el *brandy*. Rallar el chocolate y añadirle las yemas, el azúcar y la mantequilla. Incorporar a continuación el *brandy* con el café y enfriar todo en el frigorífico.

- Hacer unas bolitas y rebozarlas en el cacao o chocolate rallado. Disponer para su degustación en moldes de papel rizado.

Trufas
de chocolate (2.ª fórmula)

125 g (4,4 oz) de chocolate
sin leche
3 cs de agua
60 g (2,1 oz) de mantequilla
1 yema de huevo
Virutas de chocolate

- Cortar el chocolate en trocitos y derretirlo a fuego muy suave en el agua. Nada más fundir, retirarlo del fuego y agregar la mantequilla en trozos (no muy fría). Una vez mezclada la mantequilla, añadir la yema de huevo.

- Dejar enfriar, formar luego las bolitas y rebozarlas en virutas de chocolate. Acondicionar en unos moldes de papel rizado y enfriar en la nevera para que se endurezcan.

Turrón
de yema

400 g (14 oz) de almendras
400 g (14 oz) de azúcar en polvo
8 yemas de huevo
1 corteza de limón rallado
Canela en polvo

- Pelar las almendras y triturar hasta obtener una harina; machacar en el mortero las almendras, añadiendo un poco de agua, para que no se forme aceite durante la operación. Luego, incorporar las yemas, removiendo rápidamente para que no se corten.

- Preparar un almíbar con el azúcar, añadiendo la ralladura de limón y un poco de canela. Cuando haya adquirido un color de miel, agregar la pasta de almendras con huevo, y dejar cocer a fuego moderado, removiendo sin cesar para que no se pegue.

- Se notará que la cocción ha finalizado cuando la mezcla no resulte pegajosa y presente cierta consistencia. Verter la composición en un molde, prensar y dejar enfriar.

Yemas

12 yemas
200 g (7 oz) de azúcar glas

- Disolver el azúcar en un cazo con agua. Llevar al fuego y, con el primer hervor, espumarlo y dejarlo cocer hasta que adquiera el punto de bola.

- Separar las claras de las yemas y pasarlas a un cuenco. Trabajarlas un poco con la batidora y mezclarlas lentamente con el azúcar sin dejar de revolver.

- Poner de nuevo toda la mezcla en el cazo donde coció el azúcar y dejarlo a fuego muy suave. Dejar cocer, removiendo con constancia con la espátula de madera. Deberá quedar dura al cocerse, y estará en su punto cuando se desprenda con facilidad de las paredes del cazo.

- Adquirido este punto, retirarla del fuego y extenderla al instante sobre la encimera, dándole un espesor lo más delgado posible con el fin de enfriarla rápidamente, ya que de lo contrario suele volverse verdosa por el centro.

- Formar las bolitas, rebozarlas en azúcar glas, colocarlas en moldes de papel y trasladarlas al frigorífico para que endurezcan.

Yemas
de san Leandro

600 g (21,2 oz) de yemas
de huevo desprovistas de claras
2 l (68 fl oz) de almíbar
concentrado a 33 °C (91,4 °F)
1 limón

Esta receta no es fácil de hacer, requiere ciertos conocimientos de cocina para lograr el éxito en su realización.

- Pasar las yemas por un chino para quitarles todas las partículas que puedan impedir su fluidez (conviene calentar previamente el colador sumergiéndolo en agua hirviendo y dejándolo secar cerca del calor del fuego).

- Después de coladas las yemas, preparar un almíbar con 1 kg (2,2 lb) de azúcar y ½ l (17 fl oz) de agua; echar los restos de yema que quedaron en el colador para clarificarlas.

- Cuando esté a 33 °C (91,4 °F), echar las yemas en el embudo de cinco pitorritos (especial para hacer huevos hilados) y colocar encima del almíbar, que no debe parar de hervir lentamente, dejando caer los hilos de yema sobre él.

- Cuando se haya vertido toda la yema, tomar los hilos con una espumadera y colocarlos en un enrejado para escurrirlos (deben conservar algo de humedad). Entonces, tomar pequeñas porciones y formar las yemas dándoles forma cónica; dejar enfriar un poco, pasarlas por el *fondant* y dejar secar. Cuando estén secas, envolverlas en papel picoteado.

- **Hacer el *fondant* del siguiente modo:** pasar el almíbar sobrante de hervir las yemas por el colador para que no tenga grumos, agregar unas gotas de limón y poner al fuego; cuando esté a 33 °C (91,4 °F), separar y batir con la espátula; verterlo sobre la superficie de trabajo y seguir batiendo hasta que esté blanco y consistente. Entonces, amasar con las manos mojadas en agua fría. Cuando se consiga una pasta muy fina y blanca, ponerla en un cazo de porcelana al baño María, añadir 2 ct de agua caliente y, cuando esté fluido, bañar las yemas en él una a una.

- Dejarlas secar y envolver en el papel.

Bizcochos,
magdalenas
muffins, pudines y suflés

Ambrosía

300 g (10,6 oz) de bizcochos
¾ kg (26,5 oz) de albaricoques
300 g (10,6 oz) de frambuesas
300 g (10,6 oz) de requesón
300 g (10,6 oz) de zarzamoras
200 g (7 oz) de nata
6 rodajas de pan negro
1 sobre de azúcar avainillado
4 cs de azúcar
2 cs de kirsch

- Lavar y cortar por la mitad los albaricoques. Despepitar y poner a cocer en un recipiente con agua y 2 cs de azúcar. Dejar poco tiempo al fuego.

- A continuación, apartar los albaricoques. Colar el jugo que han soltado en un cazo; echar también aquí el *kirsch* y mantener caliente.

- Desmenuzar los bizcochos en un recipiente de cristal y empaparlos con el jugo de albaricoques y licor.

- Batir bien la nata, el azúcar de vainilla, el requesón y las 2 cs restantes de azúcar, hasta lograr una mezcla cremosa.

- Colocar las mitades de albaricoque sobre los bizcochos y recubrir con parte de la crema recién elaborada.

- Encima de esta capa, desmigar el pan negro, tapar con otro poco de crema y, a continuación, superponer capas de zarzamoras y frambuesas con otras de crema.

Arnadí

1 kg (2,2 lb) de pulpa de calabaza, o 1 kg (2,2 lb) de pulpa de boniato, (o mitad y mitad de cada clase)
1 kg (2,2 lb) de azúcar
4 yemas de huevo
200 g (7 oz) de almendra molida
Piñones y almendras tostadas enteras
Corteza de limón rallada
5 o 6 g (0,17-0,20 oz) de canela

- Poner el horno a 200 °C (392 °F), cocer la calabaza en él durante 1 h. Si se utiliza boniato, en lugar de ir al horno con su piel, se puede hervir en agua y retirársela después de hervido. Triturar la pulpa de la calabaza y, en su caso, la del boniato; depositar después en un saquillo de tela o de red, y colgarlo en el exterior por la noche para que vaya escurriendo de manera natural.

- A la mañana siguiente mezclar la pulpa, o ambas pulpas, con tanta cantidad de azúcar como hay de pulpa y las yemas de huevo batidas. Cocer la mezcla 15 o 20 min, removiendo la masa. Incorporar las almendras molidas, la ralladura de limón y la canela al preparado anterior. Con la masa final, formar unos conos-pirámides y depositar estos en cazuelas de barro. Decorar su superficie con almendras tostadas y piñones. Pasar las cazuelas a horno medio (a 150 °C –302 °F–) durante 15 min hasta que los conos o pirámides se muestren ligeramente dorados.

Berlinesas

½ kg (17 oz) de harina
¼ l (9 fl oz) de leche
30 g (1 oz) de levadura
45 g (1,6 oz) de azúcar
60 g (2,1 oz) de margarina
1 huevo
Una pizca de sal
Aceite
Mermelada de ciruelas
o confitura de guindas
Azúcar para recubrir

- Templar la leche, diluir en ella 1 cs de azúcar y la levadura desmenuzada. Tapar y dejar fermentar en un lugar caliente durante 10 min.

- Poner en una fuente la harina, el resto del azúcar, la margarina derretida, la sal y el huevo. Incorporar la leche y amasar con el robot de cocina, hasta que se forme una bola homogénea.

- Tapar y dejar fermentar hasta que duplique su volumen.

- Amasar con las manos y enrollar la masa. Dejar fermentar otros 5 min.

- Cortar la masa en 16 partes iguales y formar una bola con cada una de ellas. Colocar sobre una superficie enharinada y dejar reposar aproximadamente 15 min.

- Calentar el aceite y freír las bolas de cuatro en cuatro, primero tapadas, luego dar la vuelta y seguir friendo destapadas. Depositar sobre un papel absorbente.

- Introducir la mermelada o la confitura en una manga pastelera con boquilla larga.

- Hacer un pequeño agujero en cada berlinesa y rellenar con la mermelada. Pasar por azúcar.

Bizcocho
(1.ª fórmula)

12 huevos
14 cs de azúcar
14 cs de harina
Mantequilla para untar el molde

- Encender el horno. Conectar solo la resistencia inferior a la máxima potencia.

- Batir los huevos solos, añadirles después el azúcar y seguir batiendo hasta formar una pasta espesa. Incorporar luego la harina y echarla en un molde previamente untado de mantequilla. Llevar al horno, rebajar la temperatura a media-baja y dejar, aproximadamente, 45 min. No abrir el horno hasta finalizar este tiempo, pues de lo contrario el bizcocho bajaría y se estropearía.

- Desmoldar nada más retirar del horno. Pasar a una fuente.

Bizcocho
(2.ª fórmula)

125 g (4,4 oz) de azúcar molido
125 g (4,4 oz) de harina
5 huevos
2 ct de levadura
Las ralladuras de ½ limón
Azúcar glas

- Untar un molde con mantequilla, espolvorear con harina y reservar.

- Batir 4 yemas y el azúcar en un bol y, una vez bien batido, agregar 1 huevo entero y seguir batiendo mucho. Añadir después la harina con la levadura, 4 claras a punto de nieve y las ralladuras de limón. Ayudarse con una espátula y mezclar la preparación con cuidado; remover despacio de abajo arriba y volcar sobre el molde. Llevar a horno moderado.

- Una vez hecho, volcar sobre una rejilla y espolvorear con azúcar glas.

Bizcocho
(3.ª fórmula)

3 huevos
125 g (4,4 oz) de azúcar
125 g (4,4 oz) de harina
75 g (2,6 oz) de mantequilla
o de margarina
La ralladura de ½ limón
2 ct de zumo de limón
2 ct de levadura

- Trabajar los huevos y el azúcar en un bol. Batir bien la mezcla hasta que quede una crema espesa y esponjosa, añadir la ralladura de limón y la mantequilla diluida. Batir otro poco y a continuación, incorporar la harina, echándola en forma de lluvia, pasándola por un colador fino metálico. Batir otro poco, lo justo para hacer la mezcla. Mezclar la harina y la levadura.

- Engrasar un molde con papel en el fondo, también engrasado. Calentar el horno antes de introducirlo unos minutos a calor suave y cocerlo a horno regular durante 30 min aproximadamente.

Hay que recordar que los bizcochos, en general, una vez elaborados no pueden esperar, por lo cual se advierte de que hay que calentar el horno calculando 10 min para introducirlo en el momento en que se ha terminado la elaboración.

Bizcocho
casero

300 g (10,6 oz) de harina
¼ kg (9 oz) de azúcar
1 vaso de leche
4 huevos
1 vasito de aceite frito
1 sobre de levadura
en polvo
La ralladura de 1 limón
con su corteza
Canela en rama molida

- Batir las claras de huevo, dispuestas en un recipiente, a punto de nieve. Sin dejar de batir, incorporar las yemas y el azúcar poco a poco.

- A continuación, echar también el aceite, la leche, la ralladura de limón y un poco de canela molida.

- Cuando esté todo bien batido, añadir la harina mezclada con la levadura; remover con cuidado para que las claras no se bajen.

- Una vez conseguida una mezcla homogénea, verter en el molde y pasar 30 min por el horno a temperatura moderada.

- Tras dejarlo reposar 10 min en el horno apagado y cerrado, sacarlo para servirlo espolvoreado con azúcar y canela.

Bizcocho
con clara de huevo y nueces

160 g (5,6 oz) de mantequilla
¼ kg (9 oz) de azúcar
120 g (4,2 oz) de harina
6 claras de huevo
Nueces picadas

- Echar el azúcar y la mantequilla un poco blanda en un bol. Mezclar a fondo y agregar las claras, batiendo con las varillas hasta que quede bien ligado. Incorporar la harina poco a poco y sumarle las nueces.

- Untar un molde con abundante mantequilla y volcar encima el preparado, teniendo la precaución de que no llegue al borde. Pasar por el horno precalentado y hacerlo a intensidad moderada hasta dorar (30 min). Retirar del horno y desmoldar en caliente. Dejar enfriar sobre una rejilla.

Esta receta sirve para aprovechar claras de huevo.

Bizcocho
con manzanas

2 manzanas reinetas
2 yemas
1 huevo entero
1 ct de levadura en polvo
Las ralladuras de 1 limón
o 1 cs de azúcar avainillado
150 g (5 oz) de harina
125 g (4,4 oz) de mantequilla
125 g (4,4 oz) de azúcar

Para la salsa:
1 bote pequeño de mermelada
de fresa o frambuesa
1 dl (3,4 fl oz) de agua
1 cs de zumo de limón
Sal

- Pelar las manzanas, cortarlas en cuartos y darles varios cortes superficiales a cada uno de ellos. Reservarlas en agua acidulada.

- Mezclar el azúcar con las ralladuras de limón o con la vainilla y añadir el huevo entero y las 2 yemas. Batir con la batidora, incorporar la mantequilla muy ablandada y remover, incorporando seguidamente la harina. Seguir removiendo todo junto y llenar con ello un molde en forma de corona, previamente untado con mantequilla.

- Colocar los cuartos de manzana simétricamente y hornear a intensidad medio-fuerte aproximadamente 30 min.

- **Para la salsa:** hacerla mientras el bizcocho está en el horno, poniendo la mermelada de fresa o frambuesa, un chorrito de agua, el zumo de limón y una pizca de sal en el vaso de la batidora. Batir todo, pasar a un cazo y dejar cocer 5 min. Acompañar una vez en frío.

Bizcocho
con pasas y almendras

¼ kg (9 oz) de mantequilla
¼ kg (9 oz) de azúcar moreno
50 g (1,8 oz) de masa
de mazapán cruda
6 huevos
350 g (12,3 oz) de harina
60 g (2,1 oz) de naranja
confitada
80 g (2,8 oz) de limón confitado
80 g (2,8 oz) de almendras
peladas
100 g (3,5 oz) de pasas

- Picar las almendras peladas y cortar la naranja y el limón confitados en dados muy pequeños.
- Poner estos ingredientes y las pasas en un recipiente, regar con el ron y dejar reposar la mezcla durante 1 h, cubiertos con un paño de cocina.
- Preparar un molde de hornear desmontable de aproximadamente 18 cm (7 pulgadas) de diámetro. Untar el molde con mantequilla y forrar con papel de hornear (un círculo para la base y una tira para los bordes).
- En un recipiente, poner la mantequilla, el azúcar y la masa de mazapán y remover bien con las varillas.
- En otro recipiente, batir los huevos.
- Añadir poco a poco a la masa anterior, sin dejar de remover. Agregar también un poco de sal.
- Incorporar, mezclando de abajo arriba, la harina tamizada, la levadura y las frutas remojadas en ron.
- Remover bien con la espátula hasta que todo tenga un aspecto homogéneo.
- Poner esta masa en el molde anteriormente preparado y alisar la superficie.
- Decorar por encima con las almendras cortadas por la mitad.
- Precalentar el horno a 180 °C (350 °F). Llevar al horno y dejar cocer durante 1 h o 1 ¼ h. Probar con una aguja para ver si está hecho en el interior. Servir en una bandeja.

Este tipo de bizcochos están en su mejor momento 2 días después de su elaboración. Si las condiciones son adecuadas, pueden conservarse 1 o 2 semanas, mejor si están envueltos en papel de aluminio y guardados en un lugar fresco y seco.

Bizcocho
de almendra

4 huevos
¼ kg (9 oz) de azúcar
¼ kg (9 oz) de almendra molida
1 cs de levadura en polvo

- Batir los huevos, endulzar con el azúcar y batir fuertemente con las varillas. Luego, incorporar también las almendras molidas.
- Una vez bien ligada la mezcla, ponerle la levadura en polvo y disponerla en un molde previamente untado con mantequilla.
- Tener preparado el horno a temperatura alta y, al hacer el preparado, bajar a horno medio. Dejar que se haga durante 45 min, aproximadamente.

Bizcocho
de almendra al coñac

4 huevos
100 g (3,5 oz) de harina
de repostería
175 g (6,2 oz) de azúcar
100 g (3,5 oz) de almendras
machacadas
3 cs de coñac
100 g (3,5 oz) de mantequilla
o margarina
Azúcar glas
3 ct de levadura en polvo

- Batir la mantequilla ablandada con el azúcar y, cuando esté esponjosa, añadir las yemas (batir las claras a punto de nieve aparte), la harina mezclada con la levadura, las almendras machacadas y el coñac. Bien mezclados estos ingredientes, batir un rato e incorporar las claras batidas a punto de nieve en último lugar.
- Engrasar un molde de *cake* cubriendo el fondo con un papel engrasado a su vez, echar el batido y calentar el horno 10 min a calor moderado antes de introducirlo. Desmoldar cuando esté frío pasando un cuchillo alrededor del bizcocho. Espolvorear con azúcar glas.

Bizcocho
de carballino

6 huevos
125 g (4,4 oz) de azúcar molida
125 g (4,4 oz) de harina
½ ct de vainilla en polvo
25 g (0,9 oz) de mantequilla

- Separar las claras de las yemas. Batir por separado las yemas un poco y las claras, a punto de nieve firme, poniéndolas al empezar a batir un pellizco de sal.

- Después de haberlas batido por separado, unirlas mezclándolas e incorporar el azúcar glas molido y la harina, poco a poco. Mezclar bien para resulte una masa cremosa.

- Engrasar un molde con mantequilla, poniendo en el fondo un papel de aluminio engrasado también, y echar en él la pasta preparada.

- Encender el horno a calor moderado e introducir el molde durante 30 min escasos. Pinchar con una aguja para saber si está hecho.

- Dejar enfriar un poco y desmoldarlo.

Bizcocho
de castañas

Si se emplea margarina de maíz en la elaboración de bizcochos, quedarán más sabrosos y esponjosos.

1 l (34 fl oz) de leche
¼ kg (9 oz) de castañas peladas
150 g (5 oz) de azúcar
3 huevos
100 g (3,5 oz) de margarina
1 sobre de levadura
2 cs de coñac
Sal

- Cocer las castañas en leche con una pizca de sal. Una vez cocidas, sin escurrir (es conveniente que les quede aproximadamente un vaso de fondo), pasarlas por la batidora y hacerlas puré.

- En el vaso grande de la batidora, incorporar los huevos, el azúcar, la margarina diluida (sin hervir), el coñac y la levadura; batir todo junto. Engrasar un molde redondo de 24 o 25 cm (9,4-9,8 pulgadas) y verter la preparación. Calentar el horno durante 10 min antes de introducirlo. Tardará en hacerse entre 30 y 40 min, de forma que vaya subiendo con calor moderado.

Bizcocho
de coco

3 huevos
1 tarrina pequeña de margarina
¼ kg (9 oz) de azúcar
¼ kg (9 oz) de harina
100 g (3,5 oz) de coco rallado
1 sobre de levadura
1 bote pequeño de melocotones

- Derretir la margarina, añadirle el azúcar y mezclar bien. Batir los huevos como para tortilla e incorporarlos a lo anterior. Picar los melocotones, adicionarlos también a la mezcla y reservar el almíbar.

- Apartar un poco de coco para luego y el resto, unirlo al preparado; agregar también la harina mezclada con la levadura y, por último, llevar todo a un molde untado con mantequilla y hacer al horno.

- Cuando esté listo, regar por encima con el almíbar y espolvorearlo con el coco reservado.

Bizcocho
de crema y nata

Para el bizcocho:
4 huevos
125 g (4,4 oz) de azúcar
60 g (2,1 oz) de harina
60 g (2,1 oz) de maicena
1 ct de levadura en polvo
Coñac

Para la crema:
1 vaina de vainilla
½ l (17 fl oz) de leche
4 yemas de huevo

- Separar las claras de las yemas. Batir las claras a punto de nieve, añadir el azúcar suavemente y seguir batiendo hasta que la mezcla no se baje y quede brillante.

- Añadir las yemas poco a poco.

- Mezclar la harina, la maicena y la levadura. Tamizar todas sobre la mezcla anterior. Batir con las varillas.

- Preparar un molde para bizcocho forrándolo con papel de hornear y precalentar el horno a 180 °C (350 °F).

- Extender la pasta en el molde y hornear durante 15 min. Después, apagar el horno y dejar reposar dentro otros 5 min. No dejar demasiado hecho.

- Volcar sobre una rejilla, retirar el papel y dejar enfriar.

- Para hacer la crema, cortar la vaina de vainilla y obtener la pulpa.

- Calentar la leche con la vainilla y una pizca de sal hasta que esté a punto de hervir.

- Batir, en una cazuela, las yemas y el azúcar hasta que queden espumosas. Añadir la harina y la maicena, y poco a poco la leche, sin dejar de remover.

- Cuando la crema esté espesa, poner la cazuela en un recipiente con agua fría y hielo. Continuar removiendo hasta que la crema esté bien fría.

- Cortar el bizcocho en tiras y la fruta escarchada en trocitos. En un molde poco profundo, colocar una capa de bizcocho, emborrachada con coñac, otra de crema y otra de fruta. La última ha de ser de bizcocho.

- Montar la nata y cubrir con ella la tarta. Dejar enfriar al menos 3 h antes de consumir.

El coñac de la receta original puede sustituirse por zumo de fruta de diferentes sabores.

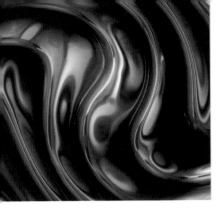

Bizcocho
de chocolate

200 g (7 oz) de mantequilla
200 g (7 oz) de azúcar
75 g (2,6 oz) de chocolate puro
2 huevos
1 ct de levadura
125 g (4,4 oz) de harina

- Untar un molde en forma de corona con mantequilla. Espolvorear ligeramente con harina y reservar.

- Precalentar un cuenco, derretir la mantequilla en él con el azúcar y batir hasta espumar. Derretir también el chocolate al baño María, incorporar la mantequilla, 2 yemas de huevo, la harina con la levadura y, por último, 2 claras a punto de nieve, removiendo despacio con la espátula.

- Verter en el molde y hornear a intensidad moderada y, una vez cocido y frío, naparlo con glaseado de chocolate.

Bizcocho
de fraile

9 huevos
200 g (7 oz) de azúcar glas
¼ kg (9 oz) de harina de maíz
cernida
1 vaso pequeño de vino dulce
1 limón

- Rallar muy fina la corteza del limón. Separar las claras de las yemas y batir estas con la mitad del azúcar. Montar las claras a punto de nieve firme y añadir la otra mitad del azúcar, mezclándolo con cuidado.

- Agregar la ralladura de limón a las yemas y, poco a poco, sin dejar de mover, echar la harina de maíz. Por último, incorporar las claras removiendo muy poco para que no se bajen.

- Engrasar un molde con mantequilla y echar la masa en él.

- Encender el horno antes de introducirlo a calor suave. Dejar cocer durante 30 min aproximadamente. Cuando esté hecho, retirar del horno, desmoldar y rociar con el vino dulce. Dejar enfriar y servir.

Bizcocho
de manzana

2 manzanas reinetas
(otra clase no sirve)
3 huevos
150 g (5 oz) de azúcar
150 g (5 oz) de margarina
150 g (5 oz) de harina flor
Ralladura de limón
Un sobre de levadura en polvo

- Poner las manzanas peladas, cortadas en gajos muy finos, los huevos, el azúcar y la ralladura de ½ limón en el vaso de la batidora. Batir hasta que las manzanas queden deshechas. Mientras, con calor suave, disolver la margarina. Unir esta a la preparación anterior, batir de nuevo e incorporar la harina mezclada con la levadura con una cuchara, batiéndolo todo junto.

- Engrasar un molde con margarina o mantequilla y verter en él la preparación anterior. Calentar el horno antes de introducirlo.

- Al principio, poner el horno a temperatura elevada y, al introducirlo, bajarla a media, pues tiene que subir despacio. Tardará en hacerse 30 min aproximadamente. Comprobar con una aguja que deberá salir seca.

Es conveniente pasar la harina antes por un colador mezclada con la levadura con el fin de airearla para que suba mejor.

Bizcocho
de naranja y limón (1.ª fórmula)

300 g (10,6 oz) de mantequilla
300 g (10,6 oz) de harina integral
3 limones
3 naranjas
100 g (3,5 oz) de fructosa
6 huevos
Azúcar glas

Colocar el bizcocho a media altura dentro del horno. Los ingredientes de esta receta están indicados para obtener 12 porciones.

- Precalentar el horno a 200 °C (400 °F) y engrasar y enharinar el molde.

- Exprimir 2 naranjas y 2 limones y apartar el zumo obtenido.

- Pelar bien las frutas restantes. Cortar en rodajas.

- Poner un cazo al fuego. Derretir la mantequilla y 75 g (2,6 oz) de fructosa en él; remover continuamente.

- Cascar los huevos, separar las yemas y echar en la mezcla anterior, con la harina y el zumo que se había dejado aparte.

- Por otra parte, batir las claras y el resto de la fructosa hasta que alcancen el punto de nieve e incorporar lentamente.

- Finalmente, agregar las rodajas de fruta. Verter la crema resultante en el molde y meter en el horno 1 h.

- Desmoldar en una bandeja rectangular y espolvorear con el azúcar glas.

Bizcocho
de naranja y limón (2.ª fórmula)

4 huevos
10 cs rasas de azúcar
12 cs colmadas de harina
½ vaso pequeño de zumo de naranja
½ vaso pequeño de zumo de limón
La ralladura de ½ naranja
La ralladura de ½ limón
1 vaso pequeño de aceite de girasol
1 sobre de levadura

- Batir bien los huevos con el azúcar hasta que esté cremosa la mezcla. Añadir el aceite y batir otro poco. Añadir los zumos de naranja y limón y la ralladura, y mezclar batiendo.

- Aparte, mezclar la levadura con la harina. Añadir esta mezcla, poco a poco, a la preparación anterior, batiendo para que todo el conjunto quede mezclado.

- Engrasar un molde con mantequilla y verter la preparación.

- Calentar bien el horno antes de introducir el molde y, una vez dentro, bajar la llama dejándolo a calor suave para que vaya subiendo despacio. Tardará aproximadamente 30 min.

- Pinchar con una aguja que deberá salir seca.

Bizcocho
de nata

4 huevos
¼ kg (9 oz) de azúcar
Ralladuras de limón
¼ kg (9 oz) de harina
1 taza de nata

- Batir los huevos y agregarles el azúcar y las ralladuras de limón. Triturar luego bien en la batidora y acompañar poco a poco con la harina y la nata.
- Volcar este batido sobre un molde untado con mantequilla y llevar al horno precalentado hasta dorar el bizcocho.

Bizcocho
de Vic

4 huevos
125 g (4,4 oz) de azúcar lustre
75 g (2,6 oz) de fécula de patata
25 g (0,9 oz) de mantequilla
25 g (0,9 oz) de harina
1 ct de levadura en polvo
1 piel de limón rallada

Si no dispone de un manojo de mimbre, la mezcla de la masa puede batirla manualmente con unas varillas.
Para que la consistencia de las claras montadas no se pierda, la mezcla de la fécula debe realizarla lentamente. Una vez rebasado la mitad del tiempo de cocción, puede subir un poco la temperatura del horno.

- Una vez montadas las claras de huevo al punto de nieve fuerte, añadirles el azúcar poco a poco, las yemas, la levadura y la piel de limón.
- Remover todo muy bien y, después, incorporar la fécula y la harina, mezclándolas con los demás ingredientes hasta obtener una mezcla homogénea.
- Verter la mezcla formada sobre un molde redondo de bizcocho, previamente engrasado con un poco de mantequilla y bien espolvoreado con harina.
- Seguidamente, pasar por el horno precalentado aproximadamente a 120 °C (248 °F), y dejar 30-35 min.
- Cuando esté hecho, retirar de los moldes, dejar enfriar y espolvorear con azúcar lustre antes de degustarlo.

Bizcocho
de yogur (1.ª fórmula)

- Poner previamente a calentar el horno a intensidad media.
- Juntar mientras tanto todos los ingredientes en el vaso de la batidora y batir hasta dejar una masa muy fina y uniforme.
- Forrar un molde con un papel engrasado con mantequilla y volcar el preparado encima.
- Hornear a intensidad media durante 45 min aproximdamente, sin abrir la puerta del horno en ningún momento.
- Pasado este tiempo, pinchar el bizcocho y, si la aguja sale limpia, retirar del calor.

1 yogur
2 vasos de aceite refinado
(medidos por el del yogur)
3 vasos de azúcar
4 vasos de harina
4 ct rasas de levadura en polvo
3 huevos
1 ct de vainilla

Bizcocho
de yogur (2.ª fórmula)

1 yogur natural
1 vaso de aceite refinado
(medido por el del yogur)
2 vasos de azúcar
3 vasos de harina con levadura
La ralladura de 1 limón

- Mezclar y triturar todos los ingredientes con la batidora, volcar el resultado en un molde untado previamente con mantequilla y llevar al horno precalentado a fuego medio hasta dejarlo doradito.

las medidas de los ingredientes guardan relación todas ellas con el vaso del yogur.

Bizcocho
dos colores

¼ kg (9 oz) de harina, aprox.
¼ kg (9 oz) de azúcar
100 g (3,5 oz) de mantequilla
3 huevos
2 cs de cacao
½ vaso de leche
1 sobre de levadura en polvo

- Untar un molde en forma de corona con mantequilla y espolvorear con harina.
- Batir bien las yemas en un cacharro hondo y unirlas al azúcar hasta obtener una masa. Cortar la mantequilla sobrante en trocitos e incorporársela a la masa. Trabajar el conjunto a fondo con una cuchara de madera. Mezclar la harina con la levadura. Añadírsela a la masa anterior a los 5 min y verter luego, poco a poco, la leche.
- Batir las claras a punto de nieve y aportarlas a la masa, removiendo de abajo arriba, con cuidado de que no se bajen.
- Dividir la masa a continuación en dos partes y mezclar una de ellas con el cacao.
- A la hora de llenar el molde, derramar primero la masa amarilla. Igualarla luego con una espátula. Completar con la pasta de cacao enrasando del mismo modo con la espátula.
- Hornear el bizcocho hasta que se dore. Desmoldar sobre una bandeja.

Bizcocho
económico

5 huevos
1 ½ tazas de azúcar
1 taza de aceite
4 tazas de harina
1 taza de leche
1 ct de levadura
Ralladuras de 1 limón

- Batir las yemas con el azúcar y la ralladura de limón en un recipiente. Verter la leche y el aceite poco a poco. Mezclar la harina con la levadura y, como colofón, incorporar las claras batidas a punto de nieve.
- Hecha la pasta fina, volcarla sobre un molde alargado, bien engrasado, y hacer a horno flojo durante 1 h.

Bizcochos
de vino tinto

Para la masa:
120 g (4,2 oz) de harina
100 g (3,5 oz) de azúcar
3 huevos
Corteza de limón
Una pizca de sal

Para el vino:
¼ l (9 fl oz) de vino tinto
Canela en rama
Cáscara de limón

- Calentar el vino, la canela, los clavos y la corteza de limón en una cazuela hasta que alcancen el punto de ebullición, sin llegar a hervir.

- Mantener durante 5 min a fuego medio y retirar, procurando que no se enfríe.

- Batir las yemas con la cáscara de limón rallada y el azúcar para conseguir una crema con cuerpo y espuma.

- Por otra parte, batir las claras a punto de nieve y la sal, y agregar a la crema anterior.

- Mezclar la masa resultante suavemente con las varillas; extender sobre una mesa tamizada con harina para que no se pegue.

- En otro recipiente, trocear la mantequilla y poner a 180 °C (350 °F).

- Una vez que esté lista para freír, cortar pequeños pedazos de masa e introducir en el recipiente de la mantequilla durante aproximadamente 4 min, procurando que se hagan por igual.

- Eliminar el exceso de grasa colocándolos sobre papel.

- Finalmente, colocar en una fuente y regar con el vino caliente.

- Servir de inmediato, pues una vez que han reposado adquieren una textura excesivamente blanda.

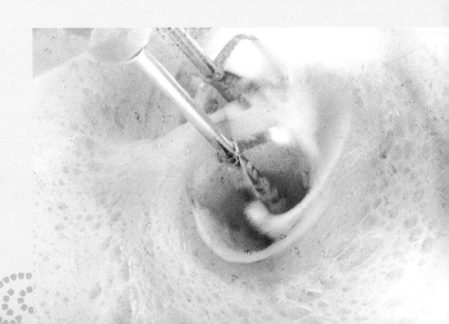

Bollo alemán

¼ kg (9 oz) de harina
100 g (3,5 oz) de mantequilla
100 g (3,5 oz) de azúcar
2 huevos
Pasas sin semilla, a discreción
1 cs de levadura en polvo
1 pellizco de sal
½ taza de leche

- Amasar la harina con la mantequilla y el azúcar, hasta que todo ello se vea bien incorporado. Agregar las yemas y amasar de nuevo a fondo. Batir las claras luego un poco, volcarlas sobre la masa y añadir la leche caliente, la levadura y las pasas, moviendo el conjunto con energía.
- Untar un molde con mantequilla, echar la masa y hornear a fuego fuerte. Tarda en hacerse 1 h aproximadamente.
- Poco antes de dar por finalizada la cocción, pinchar con una aguja de hacer punto y dar por hecho el bizcocho si sale limpia.

Como no todos los hornos son iguales, evitar poner el nuestro demasiado fuerte.

Bollos
caseros

5 huevos
1 vaso de leche
1 copa de anís
½ vaso de aceite
Canela molida
Ralladura de limón
Matalahúva
6 cs de azúcar
1 ct de sal fina
1 ct de levadura
Harina corriente (la que admita)

- Separar las yemas de las claras. Batir estas últimas a punto de nieve y, mientras van subiendo, ir incorporando el azúcar poco a poco, las yemas y todos los demás ingredientes. En último lugar, adicionar la harina, muy lentamente.
- Esperar 15 min para que reposen un poco y, pasado este tiempo, moldear unas bolitas o pequeños bollos, que se van friendo, con abundante aceite, no demasiado caliente.

Bollos
de leche y huevo

- Desleír la levadura en la leche, acompañada por 1 ct de azúcar, y dejar fermentar 15 min.
- Batir el resto del azúcar, la mantequilla, la sal, el huevo y la cáscara de limón hasta alcanzar el punto de espuma y después, mezclar con la leche con levadura. Tamizar y amasar la harina durante 10 min.
- Tapar la masa y dejar lavar en un sitio cálido durante 45 min.
- Engrasar un molde con mantequilla. Tras trabajar de nuevo la masa, formar 15 trozos de igual tamaño con ella. Con las manos cubiertas de harina, fabricar unas bolas, colocar en el molde y dejar en reposo 15 min más.
- Precalentar el horno a 200 °C (400 °F).
- Derretir una pequeña cantidad de mantequilla y pintar los bollos con ella.
- Dejar cocer los bollos en el centro del horno durante 30 min.

Para 15 bollos:

1,4 l (47,3 fl oz) de leche templada
60 g (2,1 oz) de mantequilla blanda
40 g (1,4 oz) levadura
1 huevo
100 g (3,5 oz) de azúcar
½ kg (17 oz) de harina
La cáscara rallada de 1 limón
Una pizca de sal

Bollos
de naranja

1 vaso de aceite
1 vaso de leche
2 vasos de azúcar
El zumo de 2 naranjas
Sal fina
4 huevos
1 paquete de levadura
Harina (la que admita)

- Separar las yemas de las claras. Batir estas últimas a punto de nieve y, mientras van subiendo, ir incorporando el azúcar poco a poco, las yemas y todos los demás ingredientes. En último lugar, adicionar la harina, muy lentamente.
- Añadir las yemas, el aceite, la leche, el zumo de naranja, la pizca de sal fina, harina y los polvos de levadura. Amasar todo muy bien, dejar reposar un rato y, seguidamente, dar forma a los bollos, friéndolos en aceite no demasiado caliente.

Bollos duros

¼ kg (9 oz) de manteca de vaca
6 huevos
¼ kg (9 oz) de azúcar
½ kg (17 oz) de harina
1 ct de canela
1 ct de esencia de anís

- Mezclar la manteca, el azúcar y los huevos, batir y añadir la canela y la esencia de anís.
- Incorporar la harina hasta formar una pasta como la de los polvorones.
- Formar bollitos y meter a horno fuerte.

Brazo de gitano

Para la crema:
½ l (17 fl oz) de leche
4 huevos
3 cs de azúcar
2 cs de harina
Piel de limón

Para el bizcocho:
4 yemas
6 claras
70 g (2,4 oz) de harina
125 g (4,4 oz) de azúcar
Ralladuras de limón

- **Para la crema:** reservar un poco de leche fría y, el resto, ponerla a hervir con la piel de limón. Batir 2 huevos enteros y 2 yemas, agregar el azúcar y ligar todo bien. Echar la harina desleída en la leche que hemos reservado. Al hervir la leche, volcar sobre el preparado de huevos y acercar al fuego. Dejar que hierva 5 min y, acto seguido, esperar a que se enfríe.
- **Para el bizcocho:** batir las 4 yemas con el azúcar y, cuando esté cremoso, añadirle las ralladuras de limón y la harina. Revolver bien.
- Batir a punto de nieve las 4 claras más las 2 que hemos dejado de la crema. Nada más que esté, incorporar a los huevos con una espátula y revolver despacio de abajo arriba para que no se bajen las claras.
- Verter sobre un molde bajo y rectangular bien untado con mantequilla y llevar a horno moderado aproximadamente 10 min.
- Cuando está dorado por abajo (se nota en los bordes), desmoldar sobre una servilleta húmeda, enrollar para evitar que luego se rompa y, una vez desenrollado, cubrir con la crema. Enrollar de nuevo y espolvorear con azúcar. Para lograr una mejor presentación, cortarle un poco los extremos.

Brazo
de gitano de almendra

Para la masa:
125 g (4,4 oz) de harina
100 g (3,5 oz) de azúcar glas
5 huevos

Para el relleno:
375 g (13,2 oz) de almendras
150 g (5 oz) de cabello de ángel
2 huevos
La ralladura de 1 limón

- Para hacer la masa, batir las claras de huevo a punto de nieve. Añadir a continuación el azúcar, la harina y las yemas de huevo, y hacer una mezcla homogénea. Extender sobre un papel de horno para cocerla. Azucarar un papel. Una vez cocida la mezcla, despegar volteándola sobre el papel azucarado.

- Para elaborar el relleno, mezclar en una cazuela de barro la almendra, los huevos, la ralladura de 1 limón y un chorrito de agua; cocer a fuego muy lento sin parar de remover con una cuchara de palo.

- Una vez terminado el relleno, extender sobre la masa y, a continuación, enrollar sobre sí misma; finalmente, decorar con una pala de quemar y azúcar glas.

Brazo
de gitano de nata

6 huevos
150 g (5 oz) de harina
125 g (4,4 oz) de azúcar
100 g (3,5 oz) de azúcar para el almíbar
½ l (17 fl oz) de agua
½ vaso pequeño de coñac
½ l (17 fl oz) de crema pastelera
1 tocinillo de cielo
½ l (17 fl oz) de nata montada
9 cerezas confitadas, o en aguardiente
Canela

- Para preparar el bizcocho, separar las claras de las yemas y batir las claras a punto de nieve. Luego, agregar el azúcar (125 g o 4,4 oz) sin dejar de batir.

- Una vez mezcladas, incorporar las yemas y, por último, la harina tamizada, mezclándola con la mano y sin mover mucho el resto de la masa.

- Precalentar el horno. Echar sobre un papel y meter a horno muy fuerte.

- Hacer un almíbar con el agua, el azúcar (100 g o 3,5 oz) y el coñac. Dejar enfriar un poco y despegar del papel. Emborrachar con el almíbar anterior.

- Rellenar de crema pastelera y de tocinillo de cielo cortado en tiras a lo largo y enrollar de forma que el tocinillo quede en el centro.

- Poner la nata en una manga pastelera, cubrir y adornar con rosetas de nata con una guinda colocada en el centro. Espolvorear con canela molida y reservar en el frigorífico hasta el momento de servir.

Brazo
de gitano de nata y fresa

Los mismos que para el brazo de gitano
Nata
Fresas

- Elaborar un bizcocho como para el 'brazo de gitano' (véase receta pág. 108) y distribuir por encima nata y fresas cortadas en trozos. Enrollar y adornar con fresas enteras.

Brioches

4 huevos
120 g (4,2 oz) de mantequilla blanda
20 g (0,7 oz) de levadura
60 g (2,1 oz) de azúcar
450 g (16 oz) de harina
100 ml (3,5 fl oz) de leche templada
Leche condensada
Una pizca de sal

- Diluir la levadura y 1 ct de azúcar en la leche, y dejar reposar en un sitio cálido durante 15 min.

- Batir el resto de azúcar, la sal, los huevos y la mantequilla hasta alcanzar el punto de espuma. Añadir a la leche con levadura y tamizar la harina encima. Amasar todo el conjunto durante 5 min.

- Introducir la masa en el frigorífico en un recipiente tapado y mantener 2 h.

- Engrasar los moldes y volver a trabajar la masa, repartiéndola en 20 trozos idénticos. Quitar la ¼ parte de cada uno de estos trozos para formar una bola pequeña que tape el resto de la masa. Moldear como una bola más grande.

- Seguidamente, colocar en los moldes y mantener tapados a temperatura ambiente durante 1 h para que esponje la masa.

- Precalentar el horno a 200 °C (400 °F).

- Pintar la superficie de cada *brioche* con leche condensada.

- Colocar todos los moldes en la bandeja central del horno y dejar cocer durante 20 min.

Brownies

225 g (8 oz) de azúcar
175 g (6,2 oz) de chocolate
125 g (4,4 oz) de harina
125 g (4,4 oz) de margarina
75 g (2,6 oz) de nueces picadas
75 g (2,6 oz) de avellanas picadas
2 huevos
1 sobre de azúcar de vainilla
Nougat de avellana

- En un recipiente al fuego, colocar la margarina y el chocolate troceado, removiendo hasta que se derritan.
- Cuando hayan enfriado, agregar el azúcar, los huevos, la sal y el azúcar de vainilla, y batir con la batidora. Por último, añadir la harina tamizada y las avellanas y nueces picadas, removiendo hasta que mezclen bien.
- Precalentar el horno y engrasar el molde.
- Extender la masa por el molde e introducir en el horno a 200 °C (400 °F) durante 40 min aproximadamente.
- Trocear la masa cocida aún caliente en cuadrados.
- En un recipiente puesto al baño María, derretir el *nougat* de avellana y extender sobre cada cuadrado.
- Finalmente, adornar los *brownies* con medias nueces.

Ensaimada
casera

1 kg (2,2 lb) de harina
de ensaimada
7 huevos frescos
2 ensaimadas de desayuno
crudas
2 tacitas de agua
350 g (12,3 oz) de azúcar
25 g (0,9 oz) de azúcar en polvo
200 g (7 oz) de manteca
de cerdo muy blanca y dura

La manteca ha de ser de calidad superior. Desconfiar de aquellas mantecas amarillentas, grumosas y blandas.

- Poner el azúcar, los huevos, el agua y una nuez de manteca en un recipiente y batir hasta que esté cremoso. Incorporar las ensaimadas, mezclar todo y añadir la harina poco a poco. Trabajar la masa rompiéndola en trozos pequeños y uniéndolos de nuevo varias veces. Luego, formar una bola y dejar reposar 2 h cubierta con un lienzo.

- Transcurrido el tiempo indicado, extender con el rodillo sobre la mesa enharinada, embadurnar con toda la manteca, enrollar la masa con la manteca por dentro y dejar tapada en reposo 45 min.

- Estirar el rollo de masa como si de una cuerda se tratara (no ha de romperse) y darle forma a la ensaimada sobre la placa de hojalata (empezar por el centro estirando un poco, e ir disminuyendo el grosor del rollo). Dejar leudar toda la noche. Luego, cocer en el horno precalentado 45 min a 180 °C (350 °F). Servir caliente, espolvoreada con azúcar.

Ensaimadas
pequeñas con relleno de nueces

300 g (10,6 oz) de pasta de
levadura fresca
(pasta fresca para extender)
Mantequilla
100 g (3,5 oz) de nueces
confitadas en trozos
4 cs de zumo de limón
100 g (3,5 oz) de azúcar glas

- Con la batidora, moler los trozos de nuez muy finitos.

- Precalentar el horno a 200 °C (400 °F).

- Echar harina en la superficie de trabajo y, sobre ella, extender la masa de levadura hasta formar un rectángulo. Echar las nueces molidas sobre la pasta.

- Enrollar la masa a partir del lado más largo y, posteriormente, cortar en rodajas de 1,5 cm (0,06 pulgadas).

- Untar la placa del horno con mantequilla y distribuir las ensaimadas. Dorar en la parte central del horno durante 10 o 12 min.

- Para elaborar el baño, echar el azúcar glas y el zumo de limón en una taza pequeña, y pintar las pequeñas ensaimadas con esta mezcla, valiéndose de un pincel.

Magdalenas

1 tacita de nata
1 tacita de aceite frito
2 huevos
1 copa de anís
160 g (5,6 oz) de azúcar
150 g (5 oz) de harina
1 cs de levadura en polvo

- Mezclar y ligar bien todos los ingredientes con la batidora e ir poniendo montoncitos del batido en moldes de papel.
- Pasar por el horno precalentado a temperatura alta y, luego, moderar la intensidad.
- Apartarlas del fuego una vez doradas.

Mantecadas

8 huevos
½ kg (17 oz) de harina
½ kg (17 oz) de azúcar
Ralladuras de limón
1 tazón de nata

- Batir las claras a punto de nieve y ligar con el azúcar, la harina, las ralladuras de limón, las yemas y la nata.
- Conseguida una mezcla homogénea, ir echando porciones de esta pasta en cápsulas de papel y hornear a fuego medio durante 10 o 15 min.

Pan
de higos

800 g (28 oz) de higos blancos
secos
400 g (14 oz) de almendras
tostadas
2 copas de moscatel
1 copa de anís seco
Un poco de matalahúva

- Después de cortarles el pezón, majar bien los higos blancos y secos con la mano del mortero.
- Bien peladas, machacar las almendras (también puede hacerse en el mortero) hasta convertirlas en un granulado no demasiado grueso.
- Mezclar bien los higos majados, las almendras trituradas y la matalahúva con las manos o con la batidora.
- Verter el moscatel y el anís seco lentamente sobre la mezcla hasta formar una masa consistente. A la masa elaborada, darle diferentes formas (redondeada, plana, rectangular o cuadrada), espolvorear con harina por todos los lados y dejar en el exterior una noche que sea un poco húmeda.
- Comprimir cada 3 h un poco entre las manos, procurando que no pierdan la forma y adquieran consistencia.

Si desea ahorrar tiempo, el majado de los higos puede hacerse pasándolos por una máquina de triturar carne con los agujeros de tamaño mediano y machacarlos después un poco más en el mortero.
El pan de higos debe servirse al cabo de 8 días de elaborarlo.

Pan
de miel

400 g (14 oz) de miel
200 g (7 oz) de azúcar
1 kg (2,2 lb) de harina
2 yemas de huevo
1 cs de levadura en polvo
10 granos de anís
2 clavos de olor machacados
2 vasos de agua
Corteza rallada de 1 limón
y 1 naranja

- En un cazo expuesto al fuego, poner a calentar el azúcar y el agua, hasta que ambos ingredientes se fundan. La miel se añade también, dejando que se deshaga con el calor.

- Una vez mezcladas la harina y la levadura en polvo, incorporarlas a la preparación. Agregar, asimismo, las yemas de huevo, los granos de anís, los clavos y las ralladuras del limón y de la naranja.

- Con una cuchara, mezclar todo bien, deshaciendo los ingredientes para obtener una masa lisa y de igual textura. Volcar la preparación sobre el molde cuando esté lista, alisando el conjunto por encima con una cuchara mojada.

- Tras llevarla al horno, dejar que se haga a fuego medio alrededor de 1 ¼ h. Pasado el tiempo, comprobar el punto de cocción pinchando con una aguja de tejer; si está hecha, retirar del fuego. Desmoldar cuando haya enfriado.

Pan de nueces

1 huevo
¼ kg (9 oz) de azúcar
Harina (la necesaria para hacer
una masa)
½ l (17 fl oz) de leche
¼ kg (9 oz) de nueces
Levadura de pan
(del tamaño de una nuez)
Sal

- Echar el huevo en un recipiente y batirlo con ½ ct de sal y el azúcar, mezclando bien. Agregar después la leche, la levadura disuelta en una gota de leche tibia y las nueces picadas finamente. Añadir la harina necesaria para hacer una masa a esta mezcla.
- Trabajar a fondo, extender con el rodillo y, tras llevar los extremos hacia el centro, alisar la masa de nuevo varias veces. Amasar otro poco y mantener en reposo algo más de 30 min.
- Acomodar en un molde previamente untado de mantequilla y llevar a horno fuerte cubierto con papel engrasado o papel de aluminio para que no se queme.

Una modalidad muy jugosa se puede conseguir con tan solo introducir, a la vez que el cabello de ángel, unas lonchas de jamón ibérico, continuando después los pasos habituales.

Pastel cordobés

½ kg (17 oz) de harina fina
100 g (3,5 oz) de manteca
de cerdo
300 g (10,6 oz) de mantequilla
½ kg (17 oz) de cabello de ángel
2 huevos
½ l (17 fl oz) de agua
1 ct de vinagre
10 g (0,35 oz) de sal
Azúcar y canela en polvo

- Para la masa, mezclar la manteca con harina y agua, a la que se da un toque de vinagre y sal antes de amasarla. Después, seguir los pasos habituales: amasar, estirar con un rodillo y, una vez alisada, barnizar con mantequilla.
- Tras pasar el rodillo y amasarla nuevamente, hacer 2 trozos con la masa y redondearlos dejándolos de un grosor de 2 cm (0,78 pulgadas).
- Sobre uno de los dos trozos o porciones, distribuir el cabello de ángel, que se cubre con la otra parte, una vez estirada y redondeada. Cerrar los extremos de la masa imitando una trenza, untándolos con el huevo batido.
- Tras cocerlo en el horno, precalentado a 250 °C (482 °F), durante 45 min, untar por arriba con huevo batido y espolvorear con azúcar y canela en polvo. Para finalizar el pastel, hornearlo de nuevo, dejándolo aproximadamente 5 min.

Pastel
de albaricoque en dulce

Harina floja (la que tome)
325 g (11,5 oz) de azúcar
4 yemas de huevo muy frescas
3 tazas de confitura
de albaricoque muy espesa
50 g (1,8 oz) de azúcar en polvo
400 g (14 oz) de mantequilla

- En un bol, poner las yemas, el azúcar y la mantequilla. Batir con la espátula hasta que el azúcar no «chirríe» e incorporar la harina, poco a poco, hasta conseguir una masa suave que pueda trabajarse sin problemas.

- Extender la masa (no más de 1 cm –0,4 pulgadas– de altura) con el rodillo sobre una superficie enharinada.

- Untar con mantequilla un molde bajo, forrar con la masa (dejando un trozo suficiente para enrejar el pastel) y esparcir la confitura sobre la masa.

- «Adelgazar» el trozo reservado a la mitad, y cortar en tiras según sea el tamaño del molde, formando un enrejado sentando las tiras sobre las orillas del pastel.

- Cocer en el horno precalentado 40 min a 175 °C (347 °F) (ha de quedar suavemente dorado). Sacarlo y espolvorear con el azúcar, una vez frío.

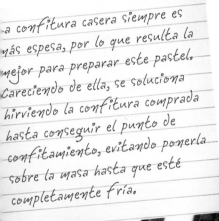

La confitura casera siempre es más espesa, por lo que resulta la mejor para preparar este pastel. Careciendo de ella, se soluciona hirviendo la confitura comprada hasta conseguir el punto de confitamiento, evitando ponerla sobre la masa hasta que esté completamente fría.

Pastel
de bizcochos

60 soletillas o bizcochos
Cerezas en almíbar
½ kg (17 oz) de nata montada
Leche

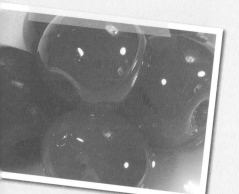

- Mojar los bizcochos en leche, sin dejar que ablanden. Colocar después tres de ellos de pie en el centro de una fuente redonda, darles una capa de nata alrededor con la espátula y cubrir con otra vuelta de bizcochos, otra de nata, otra de bizcochos, y así hasta terminar, siendo la última vuelta o capa de bizcochos.

- Distribuir la nata que queda por encima y, como toque final, decorar con unas cerezas o fresas.

la crema también se puede perfumar con ron o coñac.

Pastel
de castañas y chocolate

½ kg (17 oz) de puré
de castañas sin azúcar
125 g (4,4 oz) de chocolate fino
125 g (4,4 oz) de azúcar glas
15 g (0,5 oz) de azúcar
avainillado
100 g (3,5 oz) de mantequilla
Una pizca de sal
5 o 6 nueces
½ copa de ron o coñac

- Fundir el chocolate hecho trozos al baño María y ligar lentamente con el azúcar glas y el de vainilla, la mantequilla ablandada y el puré de castañas. Mezclar todo enérgicamente (con la batidora se hace mejor), siempre a fuego lento, hasta obtener un puré fino, como de crema.

- Preparar un molde redondo y revestir el fondo con un disco de papel cortado a su tamaño, untar con mantequilla y verter la crema encima. Dejar en el congelador durante 1 h.

- Desmoldar fuera ya del frío (ayuda mucho si debajo del papel se colocan dos tiras de papel fuerte cruzadas, sobresaliendo los extremos del molde para poder tirar de ellos) y decorar con las medias nueces sin cáscara.

- Se puede aromatizar el postre con un toque de chantillí.

- **Para el puré de castañas:** pelar la monda gruesa, escaldar las castañas en pequeñas cantidades y quitarles también la monda fina. Cocerlas después en agua con una pizca de sal y, una vez cocidas, pasar por el pasapurés.

Pastel
de crema al chantillí

¼ l (9 fl oz) de leche
10 g (0,35 oz) de maicena
100 g (3,5 oz) de nata
125 g (4,4 oz) de bizcochos
de soletilla
100 g (3,5 oz) de azúcar glas
125 g (4,4 oz) de fruta confitada
15 g (0,5 oz) de gelatina
100 g (3,5 oz) de azúcar
3 huevos
Hielo
1 barrita de vainilla
1 cs de *brandy*

- Echar las yemas, el azúcar y la maicena en un cazo. Revolver un poco, juntar la mezcla con la leche previamente hervida con la vainilla y poner el cazo al fuego hasta que rompa a hervir. Retirarlo con el primer hervor y añadir la gelatina disuelta. Pasar la crema por el colador y enfriar el cazo dentro de una cazuela más grande rodeada de hielo picado.

- Untar un molde alto con aceite (mejor de almendras) y forrar el interior de las paredes con bizcochos de soletilla puestos de pie, uno al lado del otro.

- Cuando la crema empiece a cuajarse, añadir el *brandy*, los bizcochos restantes pulverizados y un tercio de la nata. Mezclar despacio con la espátula y llenar el interior del molde preparado con los bizcochos. Rodear con el hielo picado y dejar 2 h en un sitio fresco. Pasado este tiempo, sumergir en agua tibia y desmoldar sobre una fuente redonda.

- Mezclar la nata restante con el azúcar glas, llenar con ello una manga pastelera de boquilla rizada y realizar por encima unas cenefas.

- Terminar la decoración alternando las frutas confitadas. Degustar frío.

Pastel
de fresas

200 g (7 oz) de harina, aprox.
100 g (3,5 oz) de azúcar
80 g (2,8 oz) de mantequilla
1 huevo
Sal (para la masa)

Para la crema:
½ kg (17 oz) de fresas
4 l (135 fl oz) de leche
100 g (3,5 oz) de azúcar
1 cs de harina
2 huevos
Corteza de limón
2 copitas de *kirsch* o ron
1 tacita de nata

• Untar con mantequilla un molde de 25 cm (9,8 pulgadas) de diámetro y paredes bajas y acanaladas.

• Poner la harina en un bol, hacer un hueco en el centro y añadir los demás ingredientes. Envolver esta masa en una servilleta y reposar 20 min en la nevera.

• Poner la leche a hervir con la monda de limón y reservar un poco en frío.

• Limpiar y lavar las fresas y echarlas en otro bol. Disolver en el licor 25 g (0,9 oz) de azúcar, volcar sobre las fresas y dejar en maceración.

• Mezclar las yemas con el azúcar y desleír la harina en la leche que hemos reservado, mezclándola después con las yemas. Ir dejando caer muy lentamente la leche caliente y cocer durante 2 o 3 min más. Apartar la crema del fuego y dejar que enfríe, removiéndola de vez en cuando para evitar que se forme nata en la superficie.

• Mientras se enfría la crema, extender la pasta con el rodillo y cubrir el molde. Igualar la pasta en los bordes con un cuchillo, revestir con papel de aluminio bien ajustado y rellenar con garbanzos crudos o habas. Hornear hasta que la pasta esté dorada. Apartar luego del horno, quitarle el papel de aluminio y retirar los garbanzos o habas. Esto evita que la pasta suba y se deforme el canastillo. Desmoldar y poner a enfriar sobre una rejilla.

• Retirar las fresas maceradas en licor, pasar por el pasapurés o la batidora y añadir a la crema y, tras triturar bien, rellenar el canastillo. Adornar con fresas y nata montada.

Pastel
de frutas

24 bizcochos, aprox.
1 bote de melocotón
2 naranjas
1 limón
4 huevos
8 cs de azúcar
1 ct de maicena
Fresas o cerezas

- Tapizar el fondo de una fuente con los bizcochos y remojar por encima con el almíbar de los melocotones. Picar finamente los melocotones y distribuir sobre los bizcochos.

- Hacer una crema con el zumo de las naranjas y el limón, las yemas de los huevos, 4 cs de azúcar y la maicena. Retirar del fuego nada más comience a hervir y repartir sobre los melocotones y bizcochos.

- Montar las claras de los huevos a punto de nieve, endulzar con 4 cs de azúcar y cubrir el pastel llevando el merengue al horno a dorar.

- Adornar con fresas o cerezas.

Pastel
de higos con salsa de nueces

6 yemas de huevo
150 g (5 oz) de azúcar
2 claras de huevos
½ l (17 fl oz) de nata montada
150 g (5 oz) de higos picados

Para la salsa de nueces:
½ l (17 fl oz) de leche
125 g (4,4 oz) de azúcar
1 palito de canela
100 g (3,5 oz) de nueces
1 cs de miga de pan fresco

- Batir las yemas con el azúcar e ir añadiendo la nata montada y las claras batidas a punto de nieve con 2 cs de azúcar. Incorporar los higos despacio a esta masa cremosa, revolviendo de abajo arriba para que no se bajen las claras.

- Pasar el preparado a un molde untado ligeramente de mantequilla y dejar en el congelador hasta que cuaje. Al momento de desmoldarlo, mantener el molde un momento en agua templada.

- **Para la salsa de nueces:** poner la leche con el azúcar, las nueces molidas y la canela a cocer. Cuando empiece a hervir, agregar la miga de pan y dejar cocer 30 min.

- Desmoldar el pastel, darle un toque de vistosidad con un salpicado de medias nueces por encima y acompañar con la salsa.

Pastel
de manzana

½ kg (17 oz) de manzanas
125 g (4,4 oz) de azúcar
125 g (4,4 oz) de mantequilla
125 g (4,4 oz) de harina
3 ct de levadura
3 huevos

- Batir los huevos como para tortilla e incorporarles el azúcar, después la harina mezclada con la levadura y, por último, la mantequilla derretida.
- Dejar peladas y descorazonadas las manzanas. Untar luego un molde con mantequilla e irlas colocando cortadas en rodajas. Rociarlas con el preparado y llevar al horno.
- Llevar y presentar en la misma fuente.

Pastel
de merengue y fresas

Unas claras de huevo
1 cs de azúcar por clara
Nata montada
Fresas
Avellanas

- Preparar un merengue con unas claras de huevo y tantas cucharadas de azúcar como claras. Dibujar una rueda con esta mezcla en una fuente refractaria y llevar a horno muy suave. Dejar que enfríe en el horno.
- Para servirlo, rellenar el hueco con nata montada y fresas, salpicar el merengue con unos montoncitos de nata y acomodar 1 avellana sobre cada uno.

Pastel
de nueces

½ kg (17 oz) de nueces
125 g (4,4 oz) de azúcar
125 g (4,4 oz) de mantequilla
125 g (4,4 oz) de harina
3 ct de levadura
3 huevos

- Batir bien los huevos, echarles el azúcar, la harina mezclada con la levadura y, por último, la mantequilla derretida.
- Incorporar las nueces y mezclar todo bien. Volcar la preparación sobre un molde untado con mantequilla y hornear hasta dejar el pastel listo.

Pastel
de piña

1 bote de piña
6 huevos
¼ kg (9 oz) de azúcar
200 g (7 oz) de harina
2 ct de levadura en polvo
La ralladura de 1 limón
Cerezas en almíbar
Brandy
1 limón

Para el almíbar:
Zumo de piña
1 cs de *brandy*
2 cs de azúcar

- Acaramelar un molde y, una vez frío el caramelo, distribuir las rodajas de piña sobre el fondo. Cubrir los huecos con unas cerezas.
- Batir las yemas con el azúcar y las ralladuras de limón, hasta ponerlas cremosas. Agregar después las claras a punto de nieve, revolviendo despacio con la espátula de abajo arriba, incorporar la harina con la levadura en polvo y revolver de nuevo de igual manera. Echar en el molde sobre las frutas y hornear 30 min a fuego medio.
- **Para el almíbar:** mezclar el jugo de piña con el *brandy* y el azúcar, formando con ello un almíbar.
- Antes de desmoldar, pincharlo por varios sitios, emborrachar el bizcocho con el almíbar y desmoldarlo, dejando un pastel muy vistoso.

Pastel
de queso

Pasta quebrada:

150 g (5 oz) de jamón dulce o panceta

150 g (5 oz) de queso gruyer triturado

2 cs de harina

¼ l (9 fl oz) de leche

25 g (0,9 oz) de mantequilla

3 huevos

2 cs de nata líquida

Sal

Pimienta

- Untar previamente un molde con mantequilla y tapizarlo con pasta quebrada, cuidando de que no se rompa y quede lo más fina posible. Repartir el jamón o la panceta cortado en tiras de forma ordenada por encima.

- Mezclar la leche, harina, sal y pimienta en la batidora. Acercar al fuego 5 min y, al retirar, añadirle la nata, la mantequilla, el queso y los huevos batidos. Volcar sobre el molde y, a intensidad media, pasar por el horno entre 20 y 25 min.

- Se puede dar cuenta de este pastel en caliente o en frío.

Pastel
vasco

Para la masa:

¼ kg (9 oz) de harina

175 g de azúcar

2 yemas de huevo

1 huevo entero

150 g (5 oz) de mantequilla

Raspadura de limón

Una pizca de sal

½ copa de ron

Para la crema:

¼ l (9 fl oz) de leche

3 yemas de huevo

50 g (1,8 oz) de azúcar

25 g (0,9 oz) de harina

1 ct escasa de ron

- Sobre una superficie lisa y dura, poner todos los ingredientes del pastel, y trabajar con las manos hasta obtener una pasta fina y homogénea. A continuación, dejar reposar la masa a temperatura ambiente aproximadamente 30 min.

- Con la pasta preparada, cubrir el fondo y los lados de un molde redondo, reservando una parte para cubrirlo.

- **Para la crema:** mezclar la harina, los huevos y el azúcar. Llevar la preparación al fuego y, al tiempo que se van echando la leche y el ron —poco a poco—, remover todo rápidamente.

- Cuando empiece a hervir, retirar del horno y dejar que enfríe. Con la crema resultante, llenar el molde y cubrir con la pasta restante reservada, para llevar luego el pastel al horno a mediana temperatura durante 30 o 40 min.

Pudin
de arroz

Leche
1 ramita de vainilla
1 corteza de limón
150 g (5 oz) de arroz
2 yemas de huevo
2 cs de azúcar

- Poner en una cacerola ½ l (17 fl oz) de leche con un trocito de vainilla en rama y la corteza de limón. Acompañar seguidamente con el arroz y dejar hervir a fuego lento aproximadamente 20 min, hasta que este haya cocido, pero sin que lleguen a abrirse los granos.

- Verter la leche precisa para que esté jugoso o meloso, separarlo entonces del fuego y añadir las yemas de huevo y el azúcar. Remover el preparado en profundidad y ponerlo a gratinar.

Vigilar la cocción, pues hay que tener en cuenta que el arroz tarda más en cocerse en leche que en agua.

Pudin
de bizcochos

200 g (7 oz) de mantequilla
1 tableta de chocolate sin leche
4 yemas
100 g (3,5 oz) de azúcar glas
2 tacitas de leche

- Untar un molde con mantequilla y forrarlo con bizcochos de soletilla, tapando bien los posibles huecos.

- Batir las yemas con el azúcar y aportar la mantequilla derretida. Hacer un chocolate muy espeso con la leche y el chocolate e incorporarlo a las yemas.

- Echar la mitad de la crema en el molde ya forrado de bizcochos y cubrir por encima con una capa de bizcochos, otra de crema y una más de bizcochos. Tapar el molde con un plato y dejar que la preparación cuaje al fresco, llevándola a la nevera durante por lo menos 3 h.

- Desmoldar el pudin sobre una fuente y bañar por encima con unas natillas espesitas, hechas con 2 o 3 yemas, 1 ct de azúcar por cada yema, 2 ct de maicena disueltas en un poco de leche fría y aproximadamente ½ l (17 fl oz) de leche caliente.

- Acercar al fuego, retirar tan pronto espese y adornar con unas frutas confitadas.

Para no tener que darle la vuelta, lo más aconsejable es hacer el pastel en un molde desmontable.

Pudin
de castañas

½ kg (17 oz) de castañas limpias
4 huevos
1 vaso de nata líquida
2 vasos de leche
Un pellizco de sal
Un palo de canela en rama
La corteza de ½ limón
6 cs de azúcar

Para decorar:
400 g (3,5 oz) de chocolate
derretido
8 castañas

• Escaldar las castañas en un recipiente puesto al fuego y, tras 1 min, quitarle la membrana amarilla que las recubre. Poner luego en un cazo con la leche, la sal, la corteza de limón y la canela, dejándolas cocer 30 min –aproximadamente– a fuego lento.

• Cuando se vea que ya están tiernas, dejar enfriar un poco y añadirles la nata, los huevos y el azúcar.

• Retirarles la ramita de canela y la corteza del limón y, procurando que no quede ningún grumo, triturar bien el conjunto.

• Verter la mezcla así preparada en un molde alargado previamente caramelizado, procediendo a su horneado al baño María durante 35 min, a una temperatura aproximada de 180 °C (356 °F).

• Adornar el pudin con una cobetura de chocolate derretido y unas castañas. También se puede emplear en la decoración nata montada.

Pudin
de manzana

1 kg (2,2 lb) de manzanas
100 g (3,5 oz) de mantequilla
100 g (3,5 oz) de azúcar
Raspadura de limón
¼ kg (9 oz) de bizcochos
de soletilla
4 huevos
½ l (17 fl) de leche

• Acaramelar un molde de flan y dejarlo enfriar.

• Pelar las manzanas, quitar los corazones y dejarlas en trozos.

• Ponerlas a cocer con el azúcar, la mantequilla y la raspadura de limón, sin nada de agua. Para cocerlas es mejor calor moderado.

• Aparte, batir los huevos y echarles la leche. Las manzanas, hechas compota y aplastadas, echarlas con un tenedor por capas, en molde de fondo fijo, poniendo una de manzanas y otra de bizcochos, que se irán bañando con el batido de huevos y leche.

• Tener en el horno, calentado previamente, aproximadamente durante 40 min. Puede comprobarse con una aguja que deberá salir seca. Cuando esté frío, desmoldar.

• Cubrir con nata montada, trazando con la manga pastelera un cordón en distintas direcciones, formando un enrejado.

Pudin
de naranja

2 bollos de confitería
6 cs de leche condensada
50 g (1,8 oz) de mantequilla
Una copita de Grand Marnier
o Cointreau
Una copita de coñac
2 huevos
1 naranja
¼ kg (9 oz) de nata montada

- Acaramelar un molde de flan y dejarlo enfriar.
- Disolver la leche condensada en un vaso grande de agua caliente.
- Cortar los bollos en trozos y verter la leche sobre ellos, dejándolos en reposo unos minutos. Incorporar la mantequilla derretida, los huevos batidos, la corteza de ½ naranja rallada y la mitad del licor. Bien mezclado, verter en la flanera (o molde de *cake*) caramelizada.
- Encender el horno a calor moderado e introducir al baño María, hasta que esté cuajado, durante 30 min aproximadamente. Se puede comprobar introduciendo una aguja. Si sale seca, se puede retirar. Cuando el pudin esté frío, desmoldar pasando un cuchillo alrededor del molde. Mezclar el zumo de la naranja con el resto del licor y rociar por encima. Decorar con la nata introducida en la manga pastelera.

Pudin
de nueces y pasas

100 g (3,5 oz) de bizcochos
de soletilla
100 g (3,5 oz) de nueces peladas
y limpias
50 g (1,8 oz) de pasas remojadas
en coñac caliente
4 huevos
½ l (17 fl oz) de leche
125 g (4,4 oz) de azúcar
Mantequilla para engrasar
el molde

- Mezclar los huevos con el azúcar batiéndolo fuerte y añadir la leche formando una crema. Reservar.
- Engrasar bien un molde con mantequilla. Depositar en el fondo los bizcochos partidos en trozos, las nueces y las pasas. Verter la crema sobre estos ingredientes.
- Cocer al baño María al horno hasta que esté bien cuajado y solidificado, teniéndolo a temperatura media. Desmoldar cuando esté completamente frío.

Pudin
de pasas

5 panecillos blancos
2 tazas de leche
150 g (5 oz) de pasas de Corinto
100 g (3,5 oz) de pasas
de Málaga
100 g (3,5 oz) de azúcar
25 g (0,9 oz) de azúcar en polvo
5 huevos muy frescos
150 g (5 oz) de mantequilla
superior

- Escaldar las pasas con agua hirviendo y dejar en remojo. Luego, untar un molde con mantequilla.

- Trocear los panecillos lo más menudo posible y dejar 30 min en remojo con leche.

- En un recipiente, batir el azúcar, la mantequilla y las yemas de huevo hasta que esté cremoso, y las claras como para tortilla. Escurrir las pasas y quitar los rabos, y las pepitas de las pasas de Málaga. Incorporar todo lo batido y las pasas a los trozos de panecillo (que se habrán bebido la leche) y mezclar todo bien con una espátula.

- Volcar la mezcla en el molde dejando espacio para que suba y hornear 50 min a 185 °C (365 °F) (horno precalentado). Pincharlo con una aguja a los 40 min. Conseguido el punto de cocción, dejar que se enfríe. Colocarlo en una fuente y cubrirlo con el azúcar en polvo.

Al pinchar el pudin, abrir el horno lo menos posible para evitar que pierda altura. El punto de cocción lo da la aguja de tejer saliendo del pudin completamente limpia.

Pudin
inglés

100 g (3,5 oz) de mantequilla
150 g (5 oz) de azúcar
3 huevos
360 g (12,8 oz) de harina
4 ct de levadura en polvo
¾ de taza de leche
La ralladura de 1 limón
150 g (5 oz) de pasas sin semilla
50 g (1,8 oz) de nueces

- Batir la mantequilla con el azúcar y agregarle los huevos uno a uno a la mezcla obtenida, batiendo bien tras añadir cada huevo.

- Mezclar la harina con la levadura e ir incorporándola a la preparación anterior, alternando con la leche. Por último, echar las ralladuras de limón, las pasas previamente pasadas por harina y las nueces picadas.

- Untar con mantequilla un molde alargado y espolvoreado con harina, rellenar con la pasta y cocer a horno moderado.

Pudin
Washington

Arroz con leche
1 bote de piña
Caramelo
Mermelada

- Hacer un arroz con leche muy cocido y compacto y, a continuación, cortar las rodajas de piña en tiras.
- Acaramelar un poco un molde en forma de corona y, mientras el caramelo está caliente, disponer capas de arroz, también caliente, y, entre capa y capa, acondicionar las tiras de piña. Dejar que enfríe y desmoldar sobre una fuente redonda. Rellenar el centro de mermelada.

En lugar de piña, pueden ponerse fresas, en cuyo caso, la mermelada también será de fresa.

Quesada pasiega

1 kg (2,2 lb) de queso fresco
o leche cuajada
350 g (12,3 oz) de azúcar
125 g (4,4 oz) de harina de trigo
100 g (3,5 oz) de mantequilla
4 huevos
La cáscara de 1 limón
Canela

- Batir los huevos junto con la mantequilla fundida y el azúcar en un recipiente, mezclándolo todo a conciencia para que no queden grumos.
- A la masa formada, añadirle el queso bien desmenuzado —o pasado por la batidora—, la harina y, por último, la canela y la cáscara de limón al gusto.
- Batir enérgicamente y verter la crema obtenida sobre un molde de teflón u otro untado de mantequilla, sin superar los 2 o 3 cm (0,78-1,18 pulgadas) de altura.
- Con el horno precalentado a 180 °C (356 °F), hornear la crema 30 min, comprobando entonces el dorado superior y si está hecho su interior con un palillo.

La cuajada puede servirla templada o fría. Con leche cuajada, la textura le quedará más cremosa.
Si conserva la quesada en el frigorífico, procure sacarla unos minutos antes de comerla para que atempere.

Rosca

300 g (10,6 oz) de harina
160 g (5,6 oz) de azúcar
1 sobre de levadura
2 huevos
1 vaso pequeño de leche
½ copita de licor
Ralladuras de limón
100 g (3,5 oz) de mantequilla
Un pellizco de sal

- Untar un molde en forma de corona con mantequilla.

- Disponer la harina en un recipiente hondo, hacerle un hueco en el centro y sumarle la levadura, el azúcar, el pellizco de sal, la leche tibia con la mantequilla ablandada, los 2 huevos batidos, el licor y las ralladuras de limón.

- Revolver enérgicamente con una cuchara de madera o una espátula, hasta conseguir una pasta fina. Verter en el molde y hornear sobre 30 min. Desmoldar y poner a enfriar sobre rejilla. Presentar dándole un espolvoreo de azúcar glas con un colador de tela metálica.

Roscón

½ kg (17 oz) de harina
150 g (5 oz) de azúcar
1 sobre de levadura
2 huevos
1 vasito de leche
1 copita de licor
1 limón
100 g (3,5 oz) de mantequilla

- Con la mantequilla, untar un molde con forma de corona o, en caso de no tenerlo, poner un vaso de aluminio u otro material refractario sobre la fuente de horno y untarlo también de la misma manera.

- Verter la harina en un bol, o sobre la mesa; hacer un hueco en el centro y rellenar con mantequilla cortada en trocitos y blanda, levadura, huevos batidos, licor, unas ralladuras de limón y leche tibia. Amasar lo imprescindible, solo al mezclar los ingredientes.

- Hacer luego una especie de rodillo con la masa y poner en el molde o alrededor del vaso sobre la placa de hornear, según la modalidad elegida, y llevar al horno hasta que, al pinchar con una aguja de hacer punto, esta salga limpia.

- Tras desmoldar, se deja enfriar sobre rejilla y, por último, se espolvorea con azúcar glas.

Roscón
de Reyes

½ kg (17 oz) de harina
2 huevos
75 g (2,6 oz) de azúcar
1 ct de agua de azahar
La ralladura de 1 limón
110 g (4 oz) de mantequilla
¼ l (9 fl oz) de leche
20 g (0,7 oz) de levadura
prensada
5 g (0,17 oz) de sal

- Hacer un bola de masa blanda con 100 g (3,5 oz) de harina, 3 cs de leche templada y la levadura. Dejarla reposar en un lugar templado.

- Formar con el resto de harina un montón en un recipiente, hacer un hueco en el centro y echar en él los huevos, el azúcar, el resto de la leche, el agua de azahar y las ralladuras de limón. Mezclar todo bien y formar una masa muy trabajada hasta ponerla fina y correosa.

- Extender la masa con las manos, colocar en el centro la mantequilla y amasarla hasta que quede incorporada. Extender la masa de nuevo, colocar la masa levadura en el centro y repetir la operación de amasar hasta ligar bien ambas masas. Colocar en un recipiente hondo y grande, espolvorear con harina, tapar con un paño y dejar en un lugar templado.

- A las 3 h, romper la masa dándole unas vueltas en el mismo recipiente (a esto se llama *romper la masa*) y reposar otras 3 h.

- Volcar la masa sobre una superficie enharinada, hacer 2 partes y formar 1 bola con cada trozo. Colocarlas en una placa de hornear engrasada (una placa para cada una), aplastarlas y darles forma de torta.

- Hacer un hueco en el centro, formar una rosca y adornar con tiras de frutas confitadas. Dejar levar un poco más.

- Pintar con huevo batido, espolvorear con abundante azúcar y cocer a horno moderado hasta que se dore (20 min aproximadamente).

Suflé Alaska

5 huevos
125 g (4,4 oz) de azúcar
125 g (4,4 oz) de harina
2 ct de levadura en polvo
La ralladura de ½ limón
1 barra de helado
1 melocotón
1 manzana
2 rodajas de piña
1 plátano
¼ l (17 fl oz) de ron
1 limón

Para el jarabe de ron:
125 g (4,4 oz) de azúcar
¼ l (17 fl oz) de agua
1 vasito de ron
Unas gotas de limón

- Untar un molde rectangular (del mismo tamaño que el helado) con mantequilla, espolvorearlo con harina y reservar aparte.

- Batir 4 yemas con el azúcar en un bol unos minutos. Una vez batidas, añadir el otro huevo entero y continuar batiendo con brío. Incorporar la harina con la levadura, las 4 claras a punto de nieve fuerte y las ralladuras de limón. Mezclar despacio con la espátula, de abajo arriba, volcar sobre el molde y hornear a fuego moderado. Una vez hecho, desmoldar sobre una rejilla y dejar que enfríe.

- Ya frío, colocarlo en una fuente y emborracharlo con jarabe de ron.

- **Para el jarabe de ron:** poner en un cazo el agua con el azúcar, hervir aproximadamente 5 min y, fuera ya del fuego, mojar con el ron y unas gotas de limón.

- Bañar el bizcocho con este jarabe y acondicionar encima el helado y las frutas previamente picadas. Guardar en el congelador.

- Montar las claras a punto de nieve y endulzar con 1 cs de azúcar por clara. Retirar la fuente con el bizcocho del congelador y napar con las claras. Espolvorear con azúcar y pasar 5 min por el grill.

- Flamear a la salida del horno rociando un poco de ron y, tras prenderle fuego, servirlo con la llama encendida.

Suflé
de castañas

200 g (7 oz) de azúcar
¼ l (17 fl oz) de agua
Vainilla

- Pelar las castañas de la piel exterior y escaldarlas en agua hirviendo para retirar con facilidad la piel interior, mucho más fina.

- Poner un cazo al fuego con el azúcar y ¼ l (17 fl oz) de agua. Aromatizar luego con vainilla y llevar a ebullición. Incorporar las castañas ya peladas y dejarlas hasta dar por finalizada la cocción.

- Pasarlas por el pasapurés y la pasta fina así obtenida, presentarla en un cacharro de cristal.

- Adornar con un copete abundante de nata montada y azucarada por encima.

Suflé
de naranja

- Untar con mantequilla 6 moldes individuales refractarios y espolvorearlos con azúcar.
- Mezclar las yemas con el azúcar en la batidora, hasta que queden cremosas. Añadir también el zumo de naranja, las ralladuras y el licor.
- Llevar las claras a punto de nieve y añadirlas a las yemas con la espátula de abajo arriba, despacio, de forma envolvente para evitar que se bajen.
- Repartir la mezcla en los recipientes, sin llenar del todo, y pasar por el horno precalentado, bajando la intensidad a fuego medio hasta que los suflés suban y estén dorados.
- Servir acompañado con nata montada y azucarada.

1 cs de mantequilla
75 g (2,6 oz) de azúcar
6 huevos
2 ct de ralladura de naranja
1 cs de Cointreau o *brandy*
5 cs de zumo de naranja
Nata montada

Suflé
de naranja o limón

- Añadir 1 vaso de zumo de naranja con el zumo de 1 limón a la gelatina.
- Incorporar las yemas y las claras a punto de nieve y ponerlas a enfriar en la nevera durante varias horas, hasta que cuajen.

1 envase de gelatina
de naranja o limón
1 vaso de zumo de naranja
El zumo de 1 limón
3 huevos

Suflé
de nueces

- Batir las yemas con el azúcar y agregarles las claras a punto de nieve. Mezclar las claras con las yemas y las nueces cortadas en trocitos. Llenar con ello 2 o 3 moldes y hornear unos 10 min.
- Servir recién hecho, espolvoreado con azúcar glas o flameado con ron.

4 huevos
4 cs de azúcar
50 o 70 g (1,8-2,4 oz) de nueces
sin cáscara

Cremas
y mousses

Arroz
con leche

Arroz
Leche
La piel de ½ limón
Canela en rama
Azúcar
Sal

- Cocer el arroz en agua con sal como siempre (doble cantidad de agua que de arroz) y, nada más comience a hervir el agua, echar el arroz y cocerlo 20 min.

- Hervir en otra cazuela aparte la leche con la piel de ½ limón y un palito de canela. Una vez hecho el arroz, incorporar la leche con la piel de limón, la canela y el azúcar (para 100 g –3,5 oz– de arroz, 50 g –1,8 oz– de azúcar). Darle la vuelta con una cuchara de madera y mantener la cocción 5 o 10 min, vigilando que el arroz no quede seco. Volcar sobre una fuente y espolvorear con canela molida y azúcar por encima.

- **Variante:** cuando el arroz está tibio, agregarle 2 yemas de huevo y mezclar el conjunto con un tenedor.

Arroz
con leche a la crema

150 g (5 oz) de arroz
1 ½ l (51 fl oz) de leche
150 g (5 oz) de azúcar
Un bote de melocotón
200 g (7 oz) de nata montada
2 huevos
Canela
Corteza de limón
Varias guindas
40 g (1,4 oz) de mantequilla

- En un cazo, poner agua abundante a cocer y, cuando hierva echar el arroz. Dejar cocer 10 min, escurrir en un colador y verter en una cacerola donde estará la leche bien caliente. Hervir a fuego lento, poner un trozo de mantequilla, un palo de canela y corteza de limón, removiendo sin parar con cuchara de madera. Según se va secando, ir añadiéndole leche hata que el arroz esté blando. Una vez hecho, dejar enfriar un poco y añadir 2 yemas, mezclándolas bien. Verter en una fuente alargada, retirando la canela y la corteza de limón.

- Con las claras, preparar un punto de nieve que se mezcle con la nata montada.

- Decorar la fuente hundiendo un poco los melocotones dentro del arroz y, con la manga pastelera en la que se introduce la nata, ir bordeando los melocotones formando círculos y el resto, ponerlo alrededor de la fuente con las guindas distanciadas regularmente.

Arroz con leche al melocotón

1 bote de melocotón
200 g (7 oz) de arroz
150 g (5 oz) de azúcar
1 l (34 fl oz) de leche
Corteza de limón
Canela en rama
Canela molida

- Cocer el arroz en agua, para que se desprenda del almidón. Después, escurrir.
- Poner la leche a hervir y echar el arroz, el palo de canela, una pizca de sal, la corteza de limón y el azúcar en ella.
- Dejar cocer todo a fuego suave hasta que alcance su punto justo.
- A continuación, poner sobre una fuente plana.
- Por último, añadir los melocotones bocabajo y echar la canela fina molida por encima. Servir frío.

Si se desea quemar el arroz con una pala candente, se deberá espolvorear con azúcar tras colocarlo en la fuente, justo antes de introducir los melocotones.

Arroz con leche y chocolate

300 g (10,6 oz) de arroz
1 ½ l (51 fl oz) de leche
La piel de 1 limón
2 yemas de huevo
100 g (3,5 oz) de cacao
200 g (7 oz) de azúcar
1 bote de piña

- Cocer el arroz en la leche con la piel de limón, que se retirará una vez concluida la cocción. Batir 2 yemas, mezclar muy bien, y añadir el cacao y el azúcar. Mezclar con el arroz, volcar en una flanera o en un molde alto y llevar a la nevera.
- En el momento de servir, desmoldarlo sobre una fuente redonda y realzar su presentación con medias rodajas de piña.

Arroz
con leche y fresas

200 g (7 oz) de arroz
¼ kg (9 oz) de azúcar
¼ l (9 fl oz) de leche
1 naranja
El zumo de ½ limón
½ kg (17 oz) de fresas

- Limpiar las fresas, lavarlas y ponerlas a macerar en los zumos de naranja y limón con 100 g (3,5 oz) de azúcar.
- Mezclar agua con sal en una cazuela y, cuando rompa a hervir, echarle el arroz y dejar que cueza 7 min. Escurrir y reservar.
- Verter la leche en otra cazuela aparte, añadirle la monda de la naranja y, cuando comience la ebullición, incorporar el arroz y proseguir la cocción. Momentos antes de finalizar, agregar ¼ kg (9 oz) de azúcar.
- Volcar luego en una fuente honda y redonda. Adornar con unas fresas.

Arroz
de polvorín

1 l (34 fl oz) de agua
350 g (12,3 oz) de arroz
300 g (10,6 oz) de azúcar
Canela en rama
Canela en polvo
Ralladura de naranja
y de limón

- En una cazuela puesta al fuego, realizar un caramelo rubio con el agua y el azúcar.
- Cuando esté preparado, dejar caer el arroz sobre el caramelo, así como la ralladura de naranja y de limón y la canela.
- Después de cubrir todo con agua caliente, dejar reducir hasta que el arroz esté tierno y el agua se haya evaporado.
- El arroz debe quedar caldoso, espolvoreando sobre él la canela en el último momento.

Para obtener todo su sabor, prepare este plato el día anterior a su degustación.
Utilice arroz de grano medio o redondo, nunca el de grano largo. La cocción debe ser lenta y a fuego suave.
Para el caramelo, solo necesita 1 l [34 fl oz] de agua y 300 g [10,6 oz] de azúcar.

Bavaroise
de turrón con café

1 tableta de turrón de Jijona
150 g (5 oz) de nata montada
6 huevos
6 cs de azúcar
1 l (34 fl oz) de leche
2 ct de café soluble
8 láminas de gelatina

- Echar el turrón blando cortado en trozos, con 3 yemas y 3 cs de azúcar, en el vaso de la batidora, y batir todo junto hasta que se consiga una textura fina.

- Añadir 3 de las láminas de gelatina disueltas en agua a esta crema.

- En un recipiente puesto al fuego, preparar un caramelo con 3 cs de azúcar, la nata montada y un poco de agua.

- Una vez que el caramelo haya enfriado, verter la crema de turrón sobre él e introducir en el frigorífico. Reservar.

- Poner la leche a calentar; al mismo tiempo, batir las otras 3 yemas con el café soluble, y, finalmente, unir.

- Colocar esta mezcla en un recipiente al baño María y remover para lograr que espese. Además, agregar el resto de la gelatina disuelta en un poco de agua y dejar cocer.

- Echar esta última mezcla sobre el recipiente de la crema de turrón reservado y, a continuación, volver a meter todo en el frigorífico hasta que cuaje.

Bienmesabe

37 g (1,25 oz) de azúcar blanco
¼ l (9 fl oz) de agua mineral
¼ kg (9 oz) de almendras
tostadas y peladas
La ralladura de ½ limón
125 cl (42,2 fl oz) de vino
malvasía dulce
4 yemas de huevo
Canela al gusto

Para el pudin:
Bizcochos de soletilla
Vino de malvasía dulce
Merengue (para decorar)

- En un cazo de acero, o esmaltado, preparar un almíbar a punto de hebra con agua y azúcar; añadir las almendras molidas (o picadas muy finas) y dejar cocer todo suavemente revolviendo con constancia.

- Pasados unos 10 min, agregar la malvasía dulce, las yemas disueltas en un poco de leche y la ralladura de limón. Proseguir la cocción, sin dejar de remover con una espátula de madera, hasta conseguir el punto óptimo (una mezcla muy homogénea). Debe servirse frío.

- **Para el pudin de bienmesabe:** disponer una capa de bienmesabe en una fuente u hondilla; sobre ella, otra capa de bizcochos de soletilla remojados en malvasía dulce; nueva capa de bienmesabe, otra de bizcochos... y así sucesivamente hasta formar dos capas completas (como mínimo). Decorar con dibujos hechos con merengue.

Cazuela
de requesón

400 g (14 oz) de requesón
muy blanco
400 g (14 oz) de azúcar
2 naranjas
1 limón
9 huevos muy frescos
1 cs de mantequilla
1 cs de canela en polvo

- Untar la cazuela de barro con la mantequilla.

- En un recipiente, batir el zumo de las naranjas con el azúcar hasta que no «chirríe». Luego, batir las yemas de huevo, unirlas a la mezcla y remover.

- En un cuenco grande, batir las claras como para tortilla. Rallar la piel de limón encima y perfumar con la canela. Incorporar el requesón y remover para mezclar bien.

- Ahora, reunir todo en el recipiente y darle vueltas con una espátula de madera para conseguir un color uniforme.

- Disponer el preparado en la cazuela y hornear a 175 °C (347 °F) durante 50 min. Comprobar el punto de cocción pinchando con una aguja de tejer (ha de salir limpia pero no seca, lo que indicaría un exceso de cocción).

No comprar requesón amarillento, ya que delata un escurrido defectuoso y la presencia de suero.
Es imprescindible unir bien todos los ingredientes, evitando que, al servir las porciones, aparezcan espacios blancos.
El punto de cocción será ligeramente jugoso, mostrando la superficie dorada.

Crema
al jerez

2 yemas de huevo
100 g (3,5 oz) de azúcar
1 paquetito de azúcar de vainilla
Agua
¼ l (9 fl oz) de jerez dulce
6 hojas de gelatina
100 g (3,5 oz) de chocolate
amargo
25 g (0,9 oz) de avellanas molidas
¼ l (9 fl oz) de nata montada
2 claras de huevo
4 galletas de chocolate para
adorno

- Batir las yemas, el azúcar y el paquete de azúcar de vainilla hasta lograr una masa muy unida. Añadir el jerez y la gelatina (disuelta previamente en 5 cs de agua caliente); dejar enfriar, batir bien y dejar reposar.
- Cuando empiece a solidificarse, incorporar el chocolate rallado, las avellanas y parte de la nata, junto con las claras de huevo batidas a punto de nieve.
- Llenar unas copas con esta crema y ponerlas en el frigorífico, adornándolas con el resto de la nata y las galletas de chocolate.

Crema americana
o crema tostada

4 l (135 fl oz) de leche
125 g (4,4 oz) de azúcar
1 yema
1 ct rasa de maicena

- Derretir el azúcar sin dejar que se tueste demasiado, añadirle luego la leche ya caliente y, a continuación, la yema desleída en un poco de leche fría y la maicena. Mantener la cocción sobre 4 o 5 min, dándole vueltas sin parar, y verter en una fuente honda. Si se han formado grumos, pasar la mezcla por un colador.

Crema borracha

½ l (17 fl oz) de vino blanco
del Rosal
1 limón
2 ramas de canela
16 yemas de huevo
16 cs de azúcar

- Batir muy bien las yemas y el vino con la espátula o con la batidora hasta que liguen.
- Verter en moldes pequeños de flan, cubiertos de caramelo o con un poquito de agua en el fondo, y cocer al baño María.

Crema
catalana

1 l (34 fl oz) de leche
6 yemas de huevo
200 g (7 oz) de azúcar
1 cs de azúcar avainillado
50 g (1,8 oz) de maicena
1 ramita de canela
1 piel de limón

- Hervir la leche con la piel del limón y la ramita de canela a fuego moderado, removiendo de vez en cuando para que no se pegue.

- En un recipiente hondo que pueda ir al fuego, mezclar las yemas con 150 g (5 oz) de azúcar, el azúcar avainillado y la maicena, dejando todo ello bien batido.

- Hervir la leche batiendo sin parar y derramarla luego lentamente sobre las yemas. Ponerla a fuego lento, revolviendo siempre y, sin que llegue a hervir, retirarla del fuego una vez espese.

- Repartirla en cazuelitas individuales, dejarla enfriar y, como colofón, espolvorear con azúcar y quemar con una pala candente.

Crema
chantillí

½ l (17 fl oz) de nata cruda
100 g (3,5 oz) de azúcar glas
Aroma al gusto
(canela, vainilla, etc.)

- Montar la nata como de costumbre, bien con batidora de varillas, bien con batidora, y dejarla en su punto, que es cuando, al batirla, esta deja surcos. Batir lo justo, pues en caso contrario se forma mantequilla.

- Casi en su punto, endulzar con azúcar glas y aromatizar. Debe hacerse a última hora y mantenerla en frío.

- Si se quiere hacer más económica, se le pueden añadir claras a punto de nieve, pero no es aconsejable.

La crema chantillí puede hacerse al café o al chocolate: de la primera manera, al finalizar de batir la nata, se acompaña café concentrado o esencia de café; de la segunda forma, se agrega chocolate rallado o cacao en polvo y vainilla.

Crema
chocolatada

6 claras
6 cs colmadas de azúcar
60 g (2,1 oz) de mantequilla
1 tableta de chocolate sin leche
2 cs de coñac o ron
Nata montada
Nueces picadas

- Partir el chocolate en trocitos, derretirlo con la mantequilla al baño María y retirar del fuego. Volcarlo luego en frío sobre el coñac y mezclar todo bien.

- Batir las claras a punto de nieve y agregar el azúcar muy despacio, en forma de lluvia. Una vez fría la preparación del chocolate, incorporarla a las claras moviendo de abajo arriba con una espátula hasta ligar el conjunto.

- Dejar en la nevera hasta el momento de la degustación.

- Para presentarla, disponer una cenefa de nata montada y azucarada alrededor, y un espolvoreo de nueces picadas.

Crema
de aguacates con miel

- Batir las yemas con la miel en un recipiente, hasta que alcancen el punto de espuma. Posteriormente, agregar el requesón desnatado con una cuchara.
- Partir por la mitad y longitudinalmente los aguacates. Despojarlos del hueso y sacar la pulpa con una cuchara.
- Con una batidora, triturar los aguacates con el zumo de limón e incorporar a la masa de requesón con huevo y miel.
- Añadir la sal a las claras y montar a punto de nieve, mezclándolas después con la masa de aguacate y miel cuidadosamente.
- Lavar la melisa de limón. Quitar las hojas, reservando las que tengan mejor aspecto. Cortar las restantes en tiras de escaso grosor y agregar a la crema.
- Servir la crema de aguacate en platos de postre y adornar con las hojas de melisa de limón sobrantes.
- Servir al momento

2 aguacates maduros
2 yemas de huevo
2 claras de huevo
½ ramito de melisa de limón
4 cs de miel
El zumo de ½ limón
¼ kg (9 oz) de requesón desnatado
Una pizca de sal

Crema
de arroz a la naranja

1 ½ l (51 fl oz) de leche
125 g (4,4 oz) de arroz molido
1 corteza de naranja
200 g (7 oz) de azúcar

- Poner a cocer la leche y, cuando rompa a hervir, verter el arroz molido o machacado en crudo, la corteza de naranja y el azúcar.
- Cocer a fuego lento, hasta que el arroz se haya deshecho y convertido en una crema fina, revolviendo de vez en cuando con una espátula de madera.
- Retirar la corteza de naranja, apartar el arroz del fuego, repartirlo en cuencos de cristal y dejar que enfríe totalmente antes de servir.

Crema
de avellanas y chocolate

100 g (3,5 oz) de avellanas
1 bote pequeño de leche condensada
¼ kg (9 oz) de mantequilla
5 cs de cacao

- Triturar las avellanas y añadir la leche, la mantequilla ablandada y el cacao. Trabajar esta pasta hasta dejarla fina. Si estuviera dura, facilitar el trabajo poniéndola unos instantes al baño María.

- Llenar copas de postre con ella. Se puede tomar acompañada con galletas María.

Crema
de café con cerezas

200 g (7 oz) de nata
100 g (3,5 oz) de requesón
200 g (7 oz) de cerezas ácidas sin hueso
6 cs de café soluble
80 g (2,8 oz) de chocolate puro
3 cs de azúcar
Virutas de chocolate

- Trocear el chocolate y dejar al fuego en un recipiente colocado a calentar al baño María con 2 cs de agua hasta que se deshaga. Después, poner a enfriar.

- Disolver el café soluble en un poco de agua y mezclar con el requesón y el azúcar.

- Batir la nata. Unir la nata al chocolate derretido y a la mezcla anterior, removiendo continuamente para conseguir una crema fina.

- Finalmente, incorporar las cerezas y verter en copas de postre.

- Presentar las copas en la mesa decoradas con las virutas de chocolate.

Crema
de castañas

½ kg (17 oz) de castañas
½ l (17 fl oz) de nata montada
4 claras de huevo
4 cs de azúcar
¼ kg (9 oz) de chocolate
4 cs de agua
2 cs de aguardiente de hierbas
o de coñac
4 cs de leche

- Pelar y cocer las castañas. Hacer con ellas un puré mezclándolas con la leche. Batir las claras a punto de nieve y mezclar con el azúcar. Añadir ¼ l (9 fl oz) de nata montada. Incorporar todo con mucho cuidado para que no se baje.

- Pasar a una fuente redonda. Dar forma de montículo y meter en el frigorífico para que se endurezca.

- Rallar y poner al baño María el chocolate con el agua y el aguardiente. Cuando se haya formado una pasta, verter sobre la crema de castañas y adornar el borde de la fuente con el resto de la nata montada.

Crema
de chocolate para rellenos

½ l (17 fl oz) de leche
2 yemas
2 cs rasas de maicena
4 cs de cacao sin azúcar
1 cs rasa de azúcar avainillado
25 g (0,9 oz) de mantequilla
4 cs de azúcar

- Batir las yemas en un cazo, darles un toque de azúcar y de azúcar avainillado y continuar batiendo. Añadir la maicena y el cacao; verter luego la leche hirviendo. Poner al fuego hasta que espese, retirar y acompañar la mantequilla.

- Como espesa mucho, debe usarse en caliente, nada más retirarla del fuego.

Crema
de fresas

½ kg (17 oz) de fresas
300 g (3,5 oz) de azúcar
El zumo de ½ limón
½ ct de vainilla
1 ct de maicena

- Lavar las fresas, quitar los rabitos y cortarlas en trozos pequeños. El lavado se hará en un colador, pues si se meten en agua, pierden aroma. Sazonar con el zumo de limón y la vainilla. Después, mezclar con el azúcar.

- Poner a cocer a fuego suave durante 10 min, sin nada de agua. Pasado el tiempo, disolver la harina de maicena en 2 cs de agua. Incorporar esta agua a las fresas y cocer 3 min más sin dejar de dar vueltas.

- Esta crema tiene muchas aplicaciones. Guardarla en la nevera en taros de cristal cerrados al vacío. Si es para consumir pronto no es necesario.

Esta crema puede utilizarse para cubrir tartas y pastesles de hojaldre caseros con nata y también para acompañar con biscotes.

Crema
de grosellas

- Colocar un recipiente con el azúcar a calentar.
- Lavar bien las grosellas. Echar en el recipiente del azúcar, mezclar y retirar del fuego cuando hayan formado una masa algo espesa.
- A continuación, pasar por el colador para dejar las pepitas en él.
- En un recipiente, batir la nata líquida e incorporar a la masa de grosellas.
- Introducir durante un buen rato en el frigorífico.
- Servir en copas de postre, muy fría y adornada con las ramitas de menta.

½ kg (17 oz) de grosellas
150 g (5 oz) de nata líquida
150 g (5 oz) de azúcar
4 ramitas de menta

Crema
de limón

El zumo de 3 limones
50 g (1,8 oz) de mantequilla
3 huevos
La ralladura de 2 limones
230 g (8,1 oz) de azúcar

- Derretir la mantequilla sin permitir que hierva.
- Añadir la ralladura y el zumo de los 2 limones, y a continuación, el azúcar y los huevos bien batidos.
- Poner la mezcla en un cazo al baño María.
- Remover para que la crema espese.
- Una vez retirada del fuego, servir en copas.

Otra sugerencia de presentación es poner una guinda y un barquillo en el centro de la copa.

Crema
de mantequilla

200 g (7 oz) de mantequilla
1 taza de azúcar glas
2 yemas
1 ct de esencia de vainilla

- Disponer la mantequilla ablandada en un bol y batir dejando caer el azúcar poco a poco.
- Cuando esté cremosa, incorporar las yemas una a una sin parar de remover y, por último, aromatizar con la esencia de vainilla.
- Conservar en la nevera hasta el momento de utilizarla.

Se emplea para untar bizcochos o tartas.

Crema
de miel y yogur

100 g (3,5 oz) de miel
3 yogures naturales
8 cs de leche condensada
100 g (3,5 oz) de nueces picadas

- En un recipiente puesto a fuego suave, echar la miel y la leche condensada, dejándolas hacerse durante 5 min. A continuación, retirar y dejar enfriar.
- Agregar aproximadamente 80 g (2,8 oz) de nueces picadas y los yogures a esta crema y mezclar bien, dejando el preparado en el frigorífico.
- Servir en copas de postre individuales, adornadas con las nueces picadas restantes.

Crema
de naranja

6 naranjas grandes y jugosas
¼ kg (9 oz) de azúcar
3 cs de maicena
125 cl (42,2 fl oz) de agua fría
3 yemas
½ ct de esencia de vainilla
100 cl (33,8 fl oz) de nata líquida

Puede acompañarse con unas galletitas.

- Exprimir las naranjas, colar el zumo y endulzar con el azúcar. Volcar en un cazo, acercarlo al fuego y retirarlo nada más dé el primer hervor.
- Diluir la maicena en agua fría, maridar con la preparación anterior y remover bien. Dejar luego que cueza 2 o 3 min a fuego suave.
- Apartar del fuego y dejar que enfríe un poco sin parar de remover.
- Batir las yemas, aromatizar con la esencia de vainilla y sumar a la preparación anterior. Unirle también la nata batida a punto de chantillí y mezclar a fondo, dejando una pasta suave y homogénea.
- Llenar con la crema unas comporteras individuales, darles un toque decorativo con ½ rodaja de naranja clavada en el borde y espolvorear con canela.

Crema
de vainilla con fresas

400 g (14 oz) de fresas
¼ l (9 fl oz) de leche
1 yema
4 ct de vainilla
2 dl (6,7 fl oz) de nata líquida
2 cs de maicena
2 cs de azúcar
Sal

- Diluir la maicena en un poco de leche y, después, batir con la yema, el azúcar y una pizca de sal.
- En un cazo al fuego, calentar el resto de la leche y unir a la mezcla anterior; remover sin parar y dejar hervir.
- A continuación, poner a enfriar, si es necesario con hielo, y con cuidado de que no se forme nata.
- Batir la nata y la vainilla con las varillas de la batidora y separar 1/3 para reservar en el frigorífico.
- Mezclar el resto de la nata batida con la crema que se había puesto a enfriar.
- Lavar y limpiar las fresas. Cortar en trozos. Apartar unas pocas enteras para decorar.
- Mezclar las fresas cortadas con la crema y colocar en una fuente; decorar la fuente con la nata batida que se encontraba en el frigorífico y con las fresas enteras anteriormente reservadas.

Crema helada
al dulce de leche

1 l (34 fl oz) de leche
1 ct de esencia de vainilla
4 claras y 4 yemas
3 cs de leche
condensada cocida
4 cs de azúcar
4 cs de maicena
Nueces

- Batir las claras a punto de nieve bien consistente. Hervir aparte la leche con la esencia de vainilla. Acompañar con unos montoncitos de clara dispuestos con una cuchara y cocer unos minutos. Retirar los copos de merengue de la leche y escurrirlos sobre una rejilla o colador. Colar la leche y dejar que enfríe bien.
- Diluir la leche condensada y la maicena en la leche. Batir las yemas con el azúcar y agregarles la mezcla. Poner luego a fuego muy suave hasta que hierva y espese.
- Repartir en cuencos individuales, acondicionar encima los copos de clara y decorar con medias nueces.

Crema
húngara

400 g (14 oz) de nata líquida
8 cs de azúcar
2 cs de cacao sin azúcar

- Reunir todos los ingredientes en un bol y batir con energía hasta que espese y, al levantar el batidor, se formen picos en la masa.
- Servir en boles individuales y acompañar, si se desea, con bizcochos de soletilla.

Crema
inglesa

4 yemas
2 cs de azúcar
¼ l (9 fl oz) de leche
La monda de ½ limón
1 palito de canela
1 cs colmada de maicena

- Batir las yemas con el azúcar, hasta que se vean espumosas, y añadirles luego la harina de maíz disuelta en un poco de leche fría. Hervir la leche con la monda de ½ limón y el palo de canela.
- Verter la leche poco a poco sobre las yemas y batir con fuerza. Acercar a fuego suave, removiendo de continuo hasta que espese. Retirar del fuego y seguir batiendo un momento para que no forme corteza.

La crema inglesa no lleva maicena, pero al cortarse con mucha facilidad, no se corre ningún riesgo y, además, sale más espesita.

Crema
para decorar tartas

1 cs de leche condensada cocida

1 cs de licor (el preferido)

50 g (1,8 oz) de chocolate rallado

- Rallar primero el chocolate. Después, preparar un cazo con la leche condensada, el licor y la ralladura de chocolate.
- Poner al baño María, hasta que el chocolate se haya derretido y dejar enfriar antes de servir.

Crema pastelera
(1.ª fórmula)

- Poner a hervir la leche con la ramita de canela y la piel del limón. Dejar cocer a continuación un instante.
- Batir las yemas, el azúcar y el azúcar avainillado en un cazo. Diluir la maicena en la leche. Añadir esta mezcla al batido y revolver a fondo. Derramar la leche hirviendo por encima muy lentamente. Revolver con energía sin parar y acercar al fuego hasta que espese.
- Retirar del fuego e incorporar la mantequilla.

½ l (17 fl oz) de leche

3 yemas

2 cs rasas de maicena

4 cs de azúcar

1 cs de azúcar avainillado

1 ramita de canela

La piel de 1 limón

25 g (0,9 oz) de mantequilla

Crema pastelera
(2.ª fórmula)

⅓ l (11,3 fl oz) de leche
3 huevos crudos
100 g (3,5 oz) de azúcar
50 g (1,8 oz) de harina extra
50 g (1,8 oz) de mantequilla
(opcional)
Vainilla o canela en polvo

- En un recipiente, fuera del calor del fuego, batir las yemas de los huevos con el azúcar y la harina y añadir un poco de vainilla o un poco de canela.

- Disolver con la leche fría y remover bien hasta que no quede ningún grumo; poner el cazo al fuego y dejar hasta que haya hervido 2 o 3 min, siempre batiendo, durante el tiempo de cocción, con el batidor o con cuchara de madera. Aunque no es imprescindible, al retirar la crema del fuego, añadir los 50 g (1,8 oz) de mantequilla en trocitos. Remover hasta que quede totalmente incorporada.

Crema pastelera
de chocolate

1 tableta de chocolate sin leche
150 g (5 oz) de azúcar
1 huevo entero y 1 yema
1 cs grande de *brandy*
½ l (17 fl oz) de leche
1 cs de mantequilla
2 cs llenas de maicena

*Resulta ideal para acompañar
unos buñuelos de viento.*

- Cortar el chocolate en trocitos, derretirlo al baño María y agregar el *brandy*, la leche, los huevos y la maicena.
- Poner a hervir sin parar de remover y, cuando espese, incorporar la mantequilla. Apartar del fuego, revolver bien y dejar que enfríe, removiendo de vez en cuando para que no se forme piel.

Crema
tostada

1 l (34 fl oz) de leche
10 yemas de huevo
600 g (21,2 oz) de azúcar
2 vainas de vainilla
30 g (1 oz) de agar-agar
200 g (7 oz) de almendras
fileteadas
1 rama de hierbaluisa

- En una cazuela, hacer una infusión de leche y de hierbaluisa e incorporar las vainas de vainilla, previamente rascadas para extraerles las semillas.
- En un bol, batir las yemas e incorporar la leche previamente calentada y el azúcar, derretido a punto de caramelo bien caliente.
- Seguidamente, montar el conjunto como si se tratara de unas natillas, e incorporar el agar-agar sin dejar de batir.
- Tostar las almendras fileteadas en el horno con un poco de azúcar, para caramelizarlas y darles un toque crujiente.
- Finalmente, verter la crema tostada en cuencos y dejar enfriar para que adquieran la textura de una *mousse*; coronar el conjunto esparciendo por encima las almendras crujientes.

Cuajada
con miel

- En un cazo puesto al fuego, echar la leche con una pizca de sal. En cuanto comience a hervir, retirar y dejar enfriar un poco.
- Añadir el cuajo y verter en vasos individuales; dejar hasta que se cuaje.
- Servir en esos mismos vasos, con una capa de miel por encima.

1 l (34 fl oz) de leche
1 ct de cuajo
8 cs de miel
Sal

Cuajada
de carnaval

Para la crema pastelera:
1 l (34 fl oz) de leche
150 g (5 oz) de azúcar
50 g (1,8 oz) de harina
2 huevos
Una pizca de vainilla

Para la masa base:
¼ kg (9 oz) de harina
125 g (4,4 oz) de azúcar
125 g (4,4 oz) de manteca de cerdo
2 huevos

Para la cuajada:
50 g (1,8 oz) de almendras picadas muy finamente
Cabello de ángel
20 g (0,7 oz) de azúcar glas
Canela en polvo

- **Para elaborar la crema pastelera:** hervir la leche con una pizca de vainilla.
- En un recipiente aparte, mezclar la harina y el azúcar, y también los huevos bien batidos y la leche hirviendo. Una vez la mezcla anterior ha ligado bien, poner a fuego lento y remover continuamente. Cuando la crema comience a hervir, retirar del fuego y dejar enfriar.
- **Para elaborar la cuajada a partir de la masa base:** se elabora como para hacer mantecados, poniendo una serie de tandas o capas en las que se intercalan la masa base, la crema pastelera, el cabello de ángel y la almendra picada.
- Como colofón, añadir una fina capa de azúcar glas.

Cuajada
de leche

1 l (34 fl oz) de leche
150 g (5 oz) de leche en polvo
2 ct de cuajo
1 ct de vainilla (puede suprimirse)

- Calentar la leche suficientemente sin que llegue a hervir (aproximadamente 36 °C –96,8 °F– o 38 °C –100,4 °F–). Añadir la leche en polvo, poco a poco, dándole vueltas con una cuchara de madera hasta que quede diluida. Añadir la vainilla, y si queda algún grumo, colar.

- Por último, incorporar el cuajo y continuar removiendo durante 1 o 2 min.

- Echar este preparado en tarros de barro o cristal hasta la mitad; cuando estén templados, terminar de llenarlos dejando un espacio para añadir azúcar o miel cuando se vayan a consumir.

- Cuando enfríen algo más, cubrir la boca de los tarros con papel de aluminio y guardarlos en el frigorífico.

Si se desea una cuajada menos concentrada, se pueden poner 100 g [3,5 oz] de leche en polvo en vez de 150 g [5 oz].
El cuajo se adquiere en farmacias.

Cuajada
de naranja

2 vasos de leche
1 ½ vaso de zumo de naranja
3 huevos
6 cs de azúcar
1 cs rasa de maicena
1 copa de Cointreau

- Triturar todos los ingredientes con la batidora y dejar cocer 5 min.

- Volcar el resultado sobre un molde acaramelado y dejar reposar a temperatura ambiente un día. Depués, conservar en el frigorífico.

Adornar con unos gajos de naranja.

Cuajada
de queso

200 g (7 oz) de queso fresco
de cabra murciano
3 huevos
1 vaso de leche
½ bote pequeño de leche
condensada
1 vaso de nata líquida
Miel para bañarlo
Nueces peladas

- Desmigar el queso, ponerlo en la batidora y darle unas vueltas.
- Después, añadirle los huevos, la leche, la nata y la leche condensada, batiéndolo todo bien hasta conseguir una crema consistente.
- Preparar el molde untándolo bien con mantequilla, verter luego la crema y tapar con papel de aluminio para llevar la preparación al horno durante 45 min.
- Cuando se haya horneado, retirar del horno y dejar que enfríe.
- Cuando haya cuajado, desmoldar, bañar con la miel y servir adornada con nueces enteras o en pedacitos.

Si tiene afición y le gusta mezclar sabores, al preparar la crema añádale un chorrito de jarabe de higos.

Dulce
de leche

2 l (68 fl oz) de leche
2 kg (4,4 lb) de azúcar
1 rama de canela
Galletas

- Dejar cocer a fuego lento la leche mezclada con el azúcar y la canela, como si fuera un almíbar.
- Cuando adquiera consistencia y tome un color tostado, retirar del fuego, dejar enfriar y servir adornado con galletas.

Si se quiere, puede espesarse con un poco de maicena disuelta en leche.

Espuma
de chocolate

125 g (4,4 oz) de chocolate puro
5 claras de huevo
5 cs de azúcar glas
Bizcochos de soletilla

- Poner el chocolate cortado en trocitos en un cazo y derretir al baño María.
- Montar a punto de nieve las claras y endulzar con el azúcar. Mezclar con el chocolate y servir en forma de pirámide con los bizcochos alrededor.

Espuma
de chocolate al chantillí

4 huevos
1 tableta de chocolate superior, sin leche
½ dl (1,8 fl oz) de leche
6 cs de azúcar
¼ l (9 fl oz) de nata

- Batir las yemas unos 5 min, añadir 3 cs de azúcar y batir hasta conseguir una crema igualada. Cortar el chocolate en trocitos, derretir al baño María y acompañar las yemas batidas.
- Montar las claras a punto de nieve fuerte e incorporar 3 cs de azúcar. Unir las dos mezclas sin batirlas, despacio, revolviendo con una espátula de abajo arriba.
- Llenar unas copas con la espuma, realzar con nata montada por encima y dejar en la nevera hasta el momento de servir.

Espuma de limón
con pasas de Corinto

1 bote de leche condensada
pequeño
100 g (3,5 oz) de pasas
de Corinto
8 yogures naturales
2 limones

- En un recipiente de fondo hondo –o vaso para batir–, echar los yogures y la leche condensada, así como el zumo y la ralladura de los limones.

- Pasar los ingredientes por la batidora, formando una espuma que se distribuye por un igual en sendas copas.

- Adornar las copas con las pasas de Corinto. Mantener en el frigorífico hasta su total enfriamiento.

- En el momento de servir, acompañar con barquillos.

Para lograr la consistencia deseada al preparar cualquier clase de espuma, utilice una pequeña cantidad de gelatina (cola de pescado disuelta en agua) de tal manera que no se pase y la textura resulte demasiado sólida.

Espuma
de manzana

1 kg (2,2 lb) de manzanas
reinetas
1 yogur de frutas
200 g (7 oz) de azúcar
25 g (0,9 oz) de gelatina sin sabor
Ralladuras de limón
3 claras

Estos postres con gelatina es mejor hacerlos el día anterior y guardarlos en la nevera para que estén perfectamente solidificados.

- Pelar las manzanas, descorazonarlas y cortarlas en rodajas. Echarlas a cocer en agua y, una vez tiernas, batirlas con el yogur y 100 g (3,5 oz) de azúcar.

- Diluir la gelatina y agregarla al preparado con las ralladuras de limón. Batir las claras a punto de nieve, acompañar con el resto del azúcar y ligar la preparación suavemente.

- Untar un molde de pudin con mantequilla, volcar el preparado dentro y dejarlo que solidifique. A la hora de desmoldar, sumergir el molde antes un ratito en agua caliente.

Espuma
de naranja

4 yemas de huevo
60 g (2,1 oz) de azúcar
25 g (0,9 oz) de Grand Marnier
¼ l (9 fl oz) de zumo de naranja
La ralladura de las naranjas
3 hojas de gelatina
½ kg (17 oz) de nata montada

- Con un rallador, quitar solo la parte exterior de la naranja sin llegar a la corteza blanca; exprimir las naranjas. Poner las hojas de gelatina en remojo con agua fría.

- Durante apenas 1 min, cocer el zumo de naranja con la raspadura; dejar en infusión 15 min aproximadamente, pasar por un colador a una cacerola de acero y añadir el azúcar y las yemas; poner al fuego para hacer una crema y, sin que llegue a hervir (pues se cortarían las yemas), retirar; acto seguido, agregar las hojas de gelatina; dejar enfriar y, antes de que empiece a cuajar la gelatina, agregar el licor de naranja y la nata que previamente tendremos montada.

- Depositar en un molde rectangular y dejar en el frigorífico al menos 12 h.

Flan
casero

4 huevos
5 cs de azúcar
1 ½ l (17 fl oz) de leche
La ralladura de ½ limón

Para el caramelo de la flanera:
3 cs de azúcar
2 cs de agua

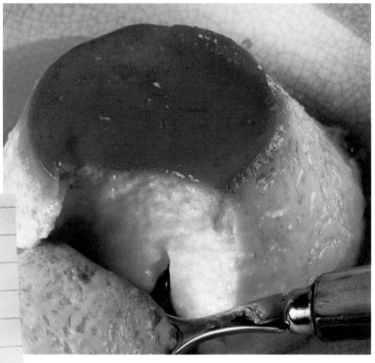

Al principio, tapar la flanera; después, cuando el flan esté casi cuajado, retirar la tapa. Comprobar el punto de cocción pinchándolo con una aguja, que deberá salir seca.

- Echar el azúcar y el agua en la flanera. Poner a fuego vivo y, cuando empiece a dorarse (entre 4 y 6 min), extender por el molde y dejar enfriar bien.

- Calentar el horno a fuego medio. Poner los huevos en un bol y batir enérgicamente hasta que estén espumosos; añadir entonces la ralladura de limón.

- Aparte, en un cazo, echar la leche con el azúcar; cuando empiece a hervir, verter poco a poco, en el bol de los huevos, sin dejar de remover. Bien mezclado todo, verter en el molde caramelizado. Poner al baño María dentro de otro recipiente con agua caliente que llegue hasta el nivel de la crema.

- Introducir en el horno con calor moderado durante 40 min, aproximadamente, hasta que esté bien firme.

- Dejar enfriar dentro del agua y desmoldar pasando un cuchillo alrededor de la flanera.

Flan
de arroz con leche

1 taza grande de arroz
2 tazas grandes de leche
1 ct de canela en polvo
150 g (5 oz) de azúcar
1 limón
2 cs de azúcar
2 huevos
½ taza grande de agua
2 claras de huevo

- Poner a hervir el arroz con la leche y un poquito de agua en una cacerola y añadir la ralladura de la piel del limón y los 150 g (5 oz) de azúcar.
- Cuando el arroz esté cocido, apartar del fuego, dejar enfriar y agregar los huevos y el resto del azúcar. Mezclar todo bien y echar en una flanera previamente untada con caramelo.
- Cocer al baño María y, cuando esté cuajado, retirar del fuego y dejar enfriar un poco antes de desmoldar.
- Ya en la fuente, adornar con las claras batidas, canela y azúcar.

Flan
de bizcochos

1 l (34 fl oz) de leche
20 bizcochos de soletilla
aproximadamente
6 huevos
400 g (14 oz) de azúcar
Nata

- Acaramelar un molde de flan con 4 cs de azúcar. Hacer una crema en un cazo con los huevos bien batidos con el azúcar y la leche.
- Colocar en el fondo del molde, sobre el caramelo, unos bizcochos; extender sobre estos una parte de la crema, seguidamente, poner otra capa de bizcochos y así sucesivamente, hasta llegar al borde. Cocer a horno moderado al baño María, durante 30 min.
- Proceder a su desmoldado completamente en frío, haciendo por encima y alrededor unas filigranas con nata.

Queda mucho mejor si se prepara la víspera.

Flan
de chocolate

1 l (34 fl oz) de leche
4 huevos
2 yemas
200 g (7 oz) de chocolate
Azúcar
Nata montada
1 palito de vainilla

- En una cazuela puesta al fuego, llevar a ebullición la leche con el palito de vainilla (quitar el palito luego).
- A continuación, echar el chocolate en trozos y remover hasta que se deshaga totalmente.
- Preparar un molde de flan con azúcar caramelizado en el fondo.
- Batir los huevos con 6 cs de azúcar y echar en el chocolate con leche, mezclándolo todo bien.
- Precalentar el horno a 180 °C (350 °F).
- Poner la cazuela de la mezcla en un recipiente al baño María y meter en el horno; dejar allí 30 min, hasta que se haga del todo.
- Seguidamente, sacar y volcar en un plato, con el caramelo por encima y acompañado por la nata montada.

Flan
de coco

4 huevos
50 g (1,8 oz) de coco rallado
1 bote de leche condensada
Igual cantidad de leche
Nata montada
Azúcar

- En un recipiente, mezclar la leche, los huevos, el coco y la leche condensada con la batidora.
- Caramelizar el azúcar al fuego y echar en un molde de flan.
- Verter la mezcla en el molde caramelizado e introducir en el microondas durante 8 min aproximadamente o hasta que esté hecho.
- Después, sacar del molde y colocar en un plato, con el caramelo por encima y adornado con nata.

Flan
de huevo

½ l (17 fl oz) de leche
4 huevos
4 cs de azúcar

- Bañar la flanera con caramelo y dejar que enfríe.
- Batir bien los huevos, agregarles el azúcar al tiempo que removemos a fondo y, después, verter la leche. Volcar todo en la flanera y tapar herméticamente.
- Poner la rejilla y un vaso de agua en la olla de presión y, sobre esta, disponer la flanera. Tapar la olla y mantener la cocción 10 min. Retirar la olla, destapar y esperar a que enfríe por completo antes del desmoldado.

Flan
de leche condensada

Según gustos, se le puede añadir unas ralladuras de limón.

1 bote de leche condensada
2 botes de agua
3 huevos

- Acaramelar una flanera y dejarla aparte hasta que enfríe.
- Batir los huevos mientras tanto, agregarles la leche condensada disuelta en agua y echar en la flanera. Tapar herméticamente y cocer en la olla de presión durante 10 min.
- Apartar del fuego, destapar la flanera y esperar a que enfríe por completo antes de proceder a desmoldar.

Flan de manzanas
con salsa de fresas

4 huevos
3 manzanas reinetas
6 cs de azúcar
½ l (17 fl oz) de leche
½ palo de canela o vainilla
Unas gotas de zumo de limón

Para la salsa de fresas:
¼ kg (9 oz) de fresas naturales
150 g (5 oz) de azúcar
1 ct de maicena
El zumo de ¼ de limón

- Caramelizar el molde con 3 cs de azúcar, 2 cs de agua y el zumo de limón. Poner a fuego vivo durante 5 min y extenderlo por el molde. Dejar enfriar.

- Pelar las manzanas, cortar en trocitos y cocer con 2 cs de azúcar y un vaso pequeño de agua a calor suave. Cuando estén blandas, escurrir el líquido. Reservar.

- En un cazo, poner a hervir la leche con el palo de canela o vainilla. En una fuente honda, batir los huevos con el azúcar y añadir, poco a poco, la leche hervida anteriormente. A esto, unir las manzanas cocidas. Echar en el molde acarmelado (rectangular o redondo) y meter al horno a baño María, a temperatura media, para que no hiervan el agua ni el contenido. Sacarlo cuando esté bien cuajado.

- **Para la salsa:** limpiar las fresas, cortar en trocitos, mezclar con el azúcar y el zumo de limón, poner a cocer durante 10 min, añadir la harina disuelta en 2 cs de agua fría, hervir 3 min, dando vueltas sin parar con cuchara de madera. Pasar por el pasapurés y servir esta salsa con el flan.

Flan de moca
con merengue

½ l (17 fl oz) de leche
175 g (6,2 oz) de azúcar
6 huevos
2 cs de café instantáneo
50 g (1,8 oz) de azúcar glas

- Mezclar 125 g (4,4 oz) de azúcar con el café instantáneo, unirlo bien y acompañar la leche (disolver primero con un poco de leche caliente y añadir luego el resto).
- Batir las yemas de los huevos con 4 claras e incorporarlas a la leche y al café. Colar y distribuir sobre un molde acaramelado.
- Cocer en el horno al baño María y, cuando esté cuajado, retirar y dejar que enfríe. Desmoldar sobre una fuente de cristal u otra fuente apropiada.
- Batir las claras sobrantes a punto de nieve, agregarles el azúcar glas y darle una pincelada de dulzor al flan.

En lugar de con merengue, puede adornarse con nata montada.

Flan
de naranja

5 huevos
¼ kg (9 oz) de azúcar
1 vaso de zumo de naranja

- Acaramelar una flanera y reservar hasta su utilización.
- Poner a cocer el azúcar en poca agua entre 5 y 10 min, y agregar el zumo de naranja y los huevos batidos. Verter en la flanera y cocer al baño María. Si se hace en olla de presión, dejar 15 min.
- Esperar a que enfríe por completo antes de desmoldar.

Flan
de piña

2 kg (4,4 lb) de piña
1 taza de azúcar
3 hojas de toronjil cidrado
3 gotas de vainilla
9 huevos

- Pelar las piñas, quitarles el corazón, trocear y, con una picadora o una licuadora, extraer la máxima cantidad de zumo.

- Añadir ½ taza de azúcar, mezclar y colocar al fuego con las hojas de toronjil cidrado. Una vez hervido, retirar, agregar los huevos batidos y la vainilla, remover y sacar las hojas de toronjil.

- Hacer caramelo con el azúcar restante y cubrir el fondo de los moldes, que serán como los utilizados para el flan. Verter dentro el batido e introducir en el horno al baño María a temperatura media, con un papel graso para que no salga acorchado.

- Retirar cuando esté consistente, más o menos a los 30 min, y servir frío como un flan.

Glaseado
de chocolate

150 g (5 oz) de azúcar glas
2 cs de cacao
Unas gotas de agua

- Mezclar el azúcar y el cacao con unas gotas de agua en un cazo, hasta obtener la consistencia de una papilla. Llevar después a fuego suave o al baño María, hasta darle el aspecto de una salsa bien ligada.

Se utiliza para bañar pastelitos, bizcochos, petit-choux, etcétera.

Leche asada

10 yemas de huevo
10 claras de huevo
montadas a punto de nieve
1 l (34 fl oz) de leche
La ralladura de 1 limón cuatro
estaciones (amarillo)
Mantequilla para untar
el molde
Canela en rama o molida
(al gusto)
½ kg (17 oz) de azúcar

- Separar las yemas de las claras y batir estas hasta montarlas a punto de nieve. Aparte, disolver la canela, el azúcar y el limón rallado en la leche (un poco tibia).

- En un bol, con la leche ya aromatizada y edulcorada, echar las yemas batidas y después las claras a punto de nieve, removiendo bien para que la mezcla resulte perfecta.

- Verter esta mezcla en una fuente de horno engrasada con mantequilla y, espolvoreando con canela molida la superficie, meter en el horno previamente calentado a 180 °C (356 °F).

- Al cabo de unos 30 min (quizás un poco más) la leche asada estará en su punto, detalle que se observa al ver la presencia de flan que tiene este postre, destacando la costra dorada de su parte superior.

El azúcar puede sustituirse por leche condensada.
La miel de palma resulta muy buena compañera para este postre.

Leche frita
(1.ª fórmula)

1 l (34 fl oz) de leche
12 cs rasas de harina
12 cs de azúcar
Monda de limón

- Desleír la harina en un poco de leche fría y agregarle el azúcar (si se desea, añadir cuatro yemas de huevo). Poner luego a hervir la leche restante con la monda de limón. Verter sobre el preparado al romper el hervor, pasándola al tiempo por un colador por si se hubiera formado algún grumo. Revolver rápido y mantener la cocción.

- Retirar, volcar sobre una fuente (cuadrada mejor) y esperar a que la pasta enfríe por completo. Cortar luego en cuadraditos, rebozar en huevo y pan rallado y freír en aceite bien caliente.

- Se presentan los cuadraditos en una fuente sobre la base de una servilleta y espolvoreados de azúcar.

Leche frita
(2.ª fórmula)

½ l (17 fl oz) de leche
6 cs de maicena
7 cs de azúcar
1 rama de canela
1 corteza de limón
4 huevos.
Harina para rebozar
Canela en polvo
Azúcar tamizada
Aceite

- Reservar de la leche el equivalente a una taza pequeña. En un cazo, poner a hervir la leche que no hemos reservado, con la corteza de limón y la rama de canela, durante 10 min.

- Retirar la rama de canela y la corteza de limón, añadir el azúcar y remover bien.

- En la leche reservada, diluir la maicena y mezclarla con el resto de la leche. Dejar cocer a fuego lento, removiendo constantemente.

- Retirar del fuego, añadir 3 yemas de huevo, mezclar bien y extender la pasta obtenida en una fuente. Dejar enfriar.

- Una vez fría, cortar en cuadraditos, rebozar estos cuadraditos en harina y huevo batido, y freír en abundante aceite caliente.

- Cuando estén fríos, espolvorearlos con canela y azúcar tamizada.

Leche merengada
(1.ª fórmula)

1 l (34 fl oz) de leche
12 cs rasas de harina
12 cs de azúcar
Monda de limón

- Desleír la harina en un poco de leche fría y agregarle el azúcar (si se desea, añadir 4 yemas de huevo). Poner luego a hervir la leche restante con la monda de limón. Verter sobre el preparado al romper el hervor, pasándola al tiempo por un colador por si se hubiera formado algún grumo. Revolver rápido y mantener la cocción.

- Retirar, volcar sobre una fuente (mejor cuadrada) y esperar a que la pasta enfríe por completo. Cortar luego en cuadraditos, rebozar en huevo y pan rallado y freír en aceite bien caliente.

- Se presentan los cuadraditos en una fuente sobre la base de una servilleta y espolvoreados con azúcar.

Leche merengada
(2.ª fórmula)

1 l (34 fl oz) de leche entera
1 cs de azúcar glas
1 corteza de limón
2 claras de huevo
1 palo de canela
150 g (5 oz) de azúcar
Canela en polvo

- Poner la leche con el azúcar normal, la corteza de limón y el palo de canela en una cacerola; y dejar hervir todo junto durante 3 min, removiendo para que el azúcar se disuelva por completo.

- Dejar enfriar y retirar la piel de limón y el palo de canela cuando la leche esté fría.

- Verter la leche en la sorbetera. En cuanto la mezcla empiece a tomar cuerpo, incorporar las claras montadas a punto de nieve con 1 cs de azúcar glas; las claras y leche se deben mezclar con mucha suavidad.

- Antes de servirla, espolvorear con canela en polvo.

Si no dispone de una sorbetera eléctrica, no deje de preparar leche merengada, ya que puede hacerse en el congelador. Hay que meter la leche hervida y aromatizada 2 h en el congelador; se saca, se bate bien —con una batidora eléctrica— se añaden las claras mezclando bien y se vuelve a meter en el congelador. Al cabo de 1 h, vuelve a sacarse y se mezcla bien de abajo arriba. Se deja en el congelador hasta unos minutos antes de servirla.

Merengues
(1.ª fórmula)

200 g (7 oz) de azúcar
3 claras de huevo
2 cs colmadas de azúcar glas
Muy poca agua

- Reservar 1 cs escasa de azúcar. Preparar un almíbar con el resto del azúcar y muy poca agua (estará listo cuando las gotas de almíbar caigan derechas sobre el fondo de un vaso).

- Apartar el almíbar del fuego y batir las claras a punto de nieve bien consistente. Añadir el azúcar reservado a las claras. Poner de nuevo el almíbar al fuego, dejar que hierva y agregar a las claras, vertiéndolas en hilo fino y batiéndolas con brío. Añadir 1 cs de azúcar glas pasada por un tamiz y dejar el preparado en reposo al fresco aproximadamente 10 min.

- Al echar el almíbar, tener cuidado de que caiga directamente sobre las claras, nunca sobre las varillas del batidor.

- Dejar reposar el merengue durante 10 min. Remojar luego la tabla de cocer merengues (de roble o nogal) con agua fría, tapizarla con papel de barba y colocar los merengues en montoncitos. Espolvorear con azúcar glas y hornear templado (en caso necesario, dejar un poco abierta la puerta del horno para mantener la temperatura y que se hagan lentamente).

- Estos merengues quedan tersos y secos. Pueden juntarse de dos en dos por la parte de abajo o colocarlos en canastillos de papel rizado.

Merengues
(2.ª fórmula)

2 claras de huevo
3 cs de azúcar glas

- Montar las claras a punto de nieve fuerte y acompañar con el azúcar glas.

- Con una manga pastelera, formar montoncitos sobre una placa de hornear y pasar por el horno a fuego lento. Retirar cuando se noten tersos al tocarlos.

- Disponerlos en moldes de papel rizado.

Mousse
de chocolate (1.ª fórmula)

125 g (4,4 oz) de chocolate
½ vaso pequeño de leche fría
2 yemas de huevo
2 cs de azúcar molido
200 g (7 oz) de nata montada
75 g (2,6 oz) de mantequilla
Varias guindas

- En un cazo, poner el chocolate partido en trozos o rallado. Mezclar con la leche, poniéndolo a fuego suave hasta que esté derretido; remover bien, apartar del fuego e incorporar la mantequilla en trozos pequeños, remover con energía y agregar las yemas dándole vueltas.

- Aparte, batir las claras a punto de nieve muy firme, añadir el azúcar molido y batirlas muy duras.

- Una vez que ha enfriado la crema de chocolate, mezclar las claras que se han batido a punto de nieve, muy suavemente, con cuidado de que la mezcla quede uniforme.

- Poner la *mousse* en copas de cristal y meter en la nevera 1 h antes de servirla. Adornar con la nata montada y sobre ella puede ir una guinda o un poquito de chocolate rallado.

Mousse
de chocolate (2.ª fórmula)

175 g (6,2 oz) de chocolate
fondant o blanco
2 cs de café negro
4 huevos
1 cs de *brandy*
Nata montada para el adorno
Virutas de chocolate

- Poner el chocolate con el café a fundir al baño María. Retirar y dejar enfriar entre 1 y 2 min. Batir las yemas e incorporarlas en forma de hilo a la mezcla de chocolate y café. Añadir el *brandy*.

- Montar las claras a punto de nieve y mezclarlas con mucho cuidado con el chocolate, removiendo de abajo arriba con una espátula para que no bajen.

- Acondicionar la *mousse* en el cuenco donde se va a servir y dejar en la nevera varias horas (mejor de una día para otro).

- Retirar de la nevera al momento del servicio y rodear con nata montada y, en el centro, espolvorear unas virutas de chocolate.

Mousse
de limón (1.ª fórmula)

- Lavar y pelar el limón. Cortar la cáscara en tacos pequeños. Poner 1 ½ vaso de agua en una cazuela y cocer las tiras de limón. Reservarlas.

- Montar las claras a punto de nieve, añadir el azúcar glas y dejar todo en el frigorífico. Mezclar la maicena, el azúcar y la leche y batirlo en otro cazo durante 10 min. Después de 2 o 3 min, echar el agua aromatizada con la piel de limón, y el zumo de ½ limón.

- A continuación, agregar las claras a punto de nieve y batir todo.

- Finalmente, adornar con las cáscaras del limón y poner a enfriar en el frigorífico.

- Servir frío.

1 limón grande
3 claras de huevo
50 g (1,8 oz) de azúcar
1 cs de azúcar glas
40 g (1,4 oz) de maicena
2 vasos de leche

Mousse
de limón (2.ª fórmula)

3 huevos
2 cs de rasas de maicena
150 g (5 oz) de azúcar
2 limones grandes
20 g (0,7 oz) de mantequilla
1 vaso de agua
Canela en polvo

- Separar las yemas de las claras. Reservar estas.

- Mezclar las yemas en un cazo (a poder ser, de porcelana) con el azúcar, la maicena y el agua. Batir bien y añadir la ralladura de la piel de 1 limón y el zumo de los 2 limones.

- Poner el cazo al fuego, que será muy lento y, dando vueltas y removiendo sin cesar, hacer esperar la mezcla. Al empezar a hervir, retirar del fuego, añadir la mantequilla y dejar enfriar.

- Batir las claras a punto de nieve firme (poniendo al empezar a batirlas una pizca de sal o 3 gotas de zumo de limón) incorporándolas a la crema fría, mezclándolas con cuidado para que no se bajen.

- Guardar en la nevera y espolvorear con un poco de canela al ir a la mesa.

Mousse
de miel

- Tras batir los huevos y acompañar la miel, dejar que espese en un cazo al baño María. Reservar aparte.

- Mientras esto enfría, batir la nata, añadirla recién montada a la preparación y volcar todo sobre un molde. Colocar en la nevera, retirarlo aproximadamente cuando haya pasado 1 h y, ya frío, batir de nuevo un poco.

- Llevar al congelador y esperar un mínimo de 2 h para servirla.

4 huevos
1 taza pequeña de miel
½ l (17 fl oz) de nata líquida

Nata
al brandy

½ l (17 fl oz) de nata
2 o 3 cs de *brandy*, según sea
suave o fuerte
3 o 4 cs de jerez dulce
1 cs de azúcar

Mientras no se sirva, guardar la nata en la nevera.

- Montar la nata y ligarla con el azúcar. Continuar batiendo con las varillas e ir derramando el *brandy* cucharada a cucharada y, después, el jerez dulce. Probar y, según necesite, remojar con la otra cucharada de *brandy*, o, si es fuerte, aportar tan solo ½ cs.
- Poner otra cucharada de jerez dulce y probar de nuevo para comprobar si tiene el punto de sabor o es necesario añadir algo más (debe predominar el sabor a coñac).
- Colocar la nata en cuencos individuales y espolvorear con canela.
- **Variantes:** antes de repartir la nata por encima, cubrir el fondo del cuenco con melocotón en almíbar picado en dados.
- También se puede jalonar el cuenco con unos bizcochos de soletilla y amontonar la nata en el centro.

Natillas
(1.ª fórmula)

200 g (7 oz) de azúcar
1 l (34 fl oz) de leche
3 huevos
40 g (1,4 oz) de maicena
½ corteza de limón
1 rama de canela
4 ct de canela en polvo

- Cocer la leche, 100 g (3,5 oz) de azúcar, la corteza de limón y la canela en rama. Mezclar 100 g (3,5 oz) de azúcar con las yemas del huevo y la maicena.
- Dejar que hierva la leche durante 1 min, sin dejar de remover. Permitir que hierva brevemente hasta templar la canela y el limón dentro de la leche y retirar la cazuela del fuego.
- A continuación, sacar la rama de canela y la cáscara de limón y añadir la mezcla de las yemas de huevo, azúcar y maicena a la leche templada. Remover y mezclar bien.
- Rápidamente, poner a hervir la cazuela, dando vueltas para evitar que se pegue. Dejar que espese en el fuego. Batir para que quede homogénea.
- Verter en moldes individuales y dejar enfriar en el frigorífico tapados con papel *film*.
- En el momento de servir, espolvorear con la canela en polvo.

Natillas
(2.ª fórmula)

1 l (34 fl oz) de leche
5 yemas de huevo
150 g (5 oz) de azúcar
25 g (0,9 oz) de harina fina
de maíz
10 g (0,35 oz) de mantequilla
1 cáscara de limón

• Antes de poner al fuego un cazo con ¾ de la leche, añadir el azúcar, la cáscara de limón y la mantequilla.

• Con el resto de la leche, mezclar aparte la harina fina de maíz y las yemas de huevo; disolver bien todo y verter en el cazo, dándole vueltas sin parar con una cuchara de madera sin dejar que llegue a hervir la crema preparada.

• Servir las natillas en terrinas individuales de postre, espolvoreadas siempre con un poco de canela.

Con las claras de huevo restantes, puede hacer "pequeñas nubes". Para ello, monte en primer lugar las claras; luego, en un recipiente puesto al fuego vierta ½ l [17 fl oz] de leche con 150 g [5 oz] de azúcar. Cuando la leche comience a hervir, eche las claras formando montoncitos con una cuchara sopera y dejando que se hagan por igual. Una vez hechas, sáquelas y colóquelas sobre las natillas.

Natillas
a la crema

6 huevos (4 enteros y 2 yemas)
50 g (1,8 oz) de maicena
¼ kg (9 oz) de azúcar
Monda de limón
1 palito de canela
1 l (34 fl oz) de leche

• Hervir la leche con la monda de limón y el palito de canela. Dejar los huevos bien batidos, añadirles luego el azúcar, continuar batiendo e incorporar también la maicena diluida en un poco de leche fría.

• Tras hervir la leche, echar la mezcla de los huevos poco a poco, mantener la cocción 2 o 3 min y trasladar a una fuente honda, removiendo de vez en cuando para que no forme nata. Retirar la monda de limón y la canela.

• Elaborar un merengue con las 2 claras sobrantes y darle dulzor con 2 cs de azúcar.

• Colocar sobre la crema unas galletas, depositar un montoncito de merengue sobre cada una de ellas y, como punto final, dorar al grill.

Natillas
princesa

4 yemas
½ l (17 fl oz) de leche
5 cs de azúcar
1 ct de vainilla

Para la preparación de natillas no debemos emplear nunca recipientes de aluminio. Son ideales los cazos de porcelana esmaltada.

- Mezclar las yemas con el azúcar y la vainilla; agregar la leche fría, poco a poco, dando vueltas con constancia. Una vez incorporada toda la leche, poner en otro recipiente con agua al baño María, retirándolas del fuego (que será moderado) en el momento que se observe que espesan antes de comenzar a hervir.
- Verter en una fuente.
- Con las claras, preparar un punto de nieve firme, añadir 1 cs colmada de azúcar molido, batir otro poco y cubrir la fuente con ellas. Meter al horno para que sequen un poco. Dejar enfriar y servir.

Panna cotta
con frambuesas y arándanos

1 l (34 fl oz) de nata fresca
40 g (1,40 oz) de gelatina en hojas
2,5 dl (8,5 fl oz) de leche
200 g (7 oz) de azúcar
1 vaina de vainilla
50 g (1,76 oz) de arándanos
50 g (1,76 oz) de frambuesas

- Reblandecer la gelatina en un recipiente con agua fría, dejándola en remojo 10 min.
- Llevar la leche con el azúcar y la vaina de vainilla a ebullición. Dejar hervir unos instantes, colar la leche y disolver en ella la gelatina, removiendo bien. Dejar enfriar.
- Montar la nata e incorporarla a la leche. Añadir también 25 g (0,9 oz) de frambuesas y los arándanos.
- Verter el preparado en un molde y dejar enfriar en la nevera un mínimo de 3 h.
- Servir en una fuente decorado con el resto de las frambuesas y los arándanos.

Salsa
de chocolate

150 g (5 oz) de chocolate
sin leche
2 dl (68 fl oz) de agua
1 ct colmada de mantequilla
1 ct de azúcar avainillado
3 cs soperas de nata líquida

• Cortar el chocolate en trocitos. Poner en un cazo agua al fuego y fundir el chocolate en ella. Apartar del calor y agregar la vainilla, la mantequilla y la nata. Acercar de nuevo al fuego y tener así 1 min sin dejar de remover.

Tiramisú

¼ kg (9 oz) de mascarpone
50 g (1,8 oz) de azúcar
2 yemas de huevo
16 bizcochos de soletilla
200 ml (7 fl oz) de café exprés
Cacao en polvo

• Batir las yemas hasta lograr una consistencia espumosa y espolvorear el azúcar sobre ellas, sin dejar de batir hasta eliminar todos los grumos.

• Agregar el mascarpone poco a poco y seguir batiendo para que la masa quede cremosa.

• En un molde, colocar 8 bizcochos bañados en café completamente frío (para que no se ablanden demasiado).

• Sobre esta base, echar la mitad de la crema de mascarpone.

• Repetir los dos pasos anteriores de modo idéntico con la otra mitad de los bizcochos, el café y la crema.

• Espolvorear con el cacao e introducir en el frigorífico durante un mínimo de 8 h.

Tocinillo

¼ l (9 fl oz) de agua
½ kg (17 oz) de azúcar
12 yemas
2 huevos enteros

- Acaramelar un molde y dejarlo enfriar. Elaborar un almíbar con el agua y el azúcar y cocerlo durante 10 min. Dejar que enfríe un poco, batir los huevos e incorporar esta mezcla al almíbar muy lentamente.

- Cocer en el molde al baño María, hasta que se vea consistente, y desmoldar una vez que se haya enfriado por completo.

Vasitos
de crema a la naranja

2 ½ tazas de leche
½ taza de azúcar en polvo
1 sobre de azúcar avainillado
1 naranja
3 huevos
Sal

- Poner la leche en un cazo a fuego lento. Incorporar el azúcar avainillado y la corteza rallada de 1 naranja. Revolver bien y retirar del fuego en cuanto empiece a hervir.

- Poner los 3 huevos enteros, el azúcar en polvo en un recipiente y añadir después muy poco a poco la leche caliente. Remover y verter la mezcla en pequeños moldes.

- Una vez precalentado el horno, colocar los moldes en una fuente llena de agua hasta sus ¾ partes y hornear durante 20 min a temperatura alta.

- Dejar enfriar y meter en la nevera 2 h mínimo antes de servir los vasitos.

Zabaione

160 g (5,6 oz) de yema de huevo
160 g (5,6 oz) de azúcar
8 cs de vino de Marsala
2 cs de coñac

- Colocar las yemas y el azúcar en una cazuela y poner al fuego y batirlos hasta que blanqueen un poco.

- Al mismo tiempo, calentar agua a una temperatura superior a 60 °C (140 °F), pero sin llegar a 65 °C (150 °F). Pasar la olla al baño María y continuar batiendo hasta que aumente de volumen y esté más blanco.

- Continuar batiendo y agregar el vino de Marsala y el coñac. Apagar el fuego y mantener caliente en el baño María, revolviéndolo con frecuencia.

- Servir caliente en copas individuales. Adornar con hojas de menta.

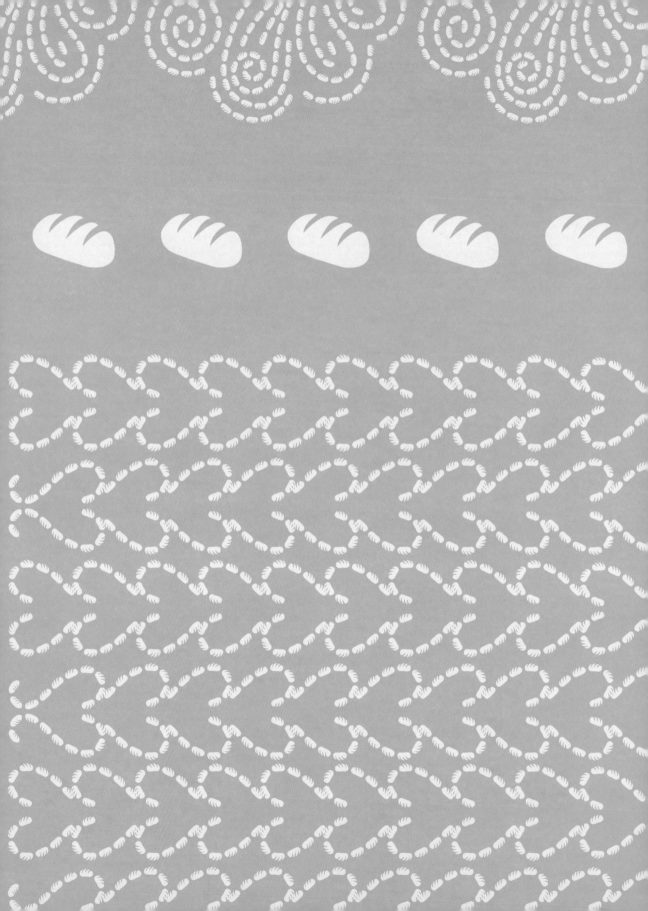

Tostadas,
gofres y crepes

Alajú

2 kg (4,4 lb) de pan rallado
3 kg (6,6 lb) de miel
1 kg (2,2 lb) de almendras
o de nueces
La ralladura de 1 limón
o de 1 naranja

Si la miel ha cristalizado después de tenerla mucho tiempo guardada, puede volverla a fundir poniendo el tarro al baño María a una temperatura media. Pero si el agua llega a hervir, la miel perderá entonces su aroma y parte de su sabor característico.

- Sin que llegue a ponerse a punto de caramelo, calentar la miel y añadirle el pan rallado y la raspadura de limón o de naranja.

- Añadir las almendras y amasar bien la mezcla, hasta conseguir una pasta homogénea.

- Poner la pasta obtenida sobre unas obleas de forma redondeada, que se aprietan hasta obtener una tortita de un dedo de espesor.

Crepes

- Batir bien el huevo, verter la leche y el agua, volver a batir de nuevo un momento y agregarle la sal y la harina lentamente.

- Disponer en la sartén un trozo de manteca de cerdo o mantequilla. Una vez caliente, echarle un poquito de la pasta, extenderla bien y darle la vuelta. Ir colocando las crepes en el plato a medida que se hacen.

- Se pueden rellenar con natillas, mermelada, crema de espinacas, nata, salsa de chocolate, mariscos, etc.

1 huevo
½ taza de leche
½ taza de agua templada
1 pizca de sal
½ taza de harina
Manteca de cerdo o mantequilla

Crepes
con pasas

6 huevos
¼ kg (9 oz) de harina
½ l (17 fl oz) de leche
100 g (3,5 oz) de pasas
1 cs de azúcar avainillado
Mantequilla
Azúcar glas
Una pizca de sal

- Cascar los huevos y separar las yemas de las claras. En un recipiente, batir la leche, las yemas, la sal y el azúcar de vainilla. Cuando esté bien mezclado, añadir lentamente la harina hasta lograr una pasta uniforme.

- Dejar las pasas en remojo un rato.

- Precalentar el horno a 200 °C (400 °F).

- Batir las claras a punto de nieve. Agregar las claras y las pasas a la pasta anterior; mezclar todo bien.

- Engrasar una cazuela resistente al horno con mantequilla y echar la pasta en ella. Meter en el horno 20 min.

- Una vez fuera, poner al fuego y dar la vuelta a la crep para que se haga por el otro lado, hasta que se dore. Espolvorear con el azúcar glas y, cuando esta se haya deshecho, retirar del fuego.

Crepes
imperiales

⅜ l (12,6 fl oz) de leche
200 g (7 oz) de harina
125 g (4,4 oz) de nata
5 huevos
4 cs de mantequilla
75 g (2,6 oz) de pasas
1 vaso pequeño de ron
Azúcar avainillado
Ralladura de limón
Azúcar glas
Sal

- Echar el ron sobre las pasas y dejar aparte.

- Preparar la masa con la leche, la harina, la nata, la ralladura de limón, la sal y el azúcar de vainilla. Dejar reposar 20 min.

- Agregar las yemas, con la mantequilla derretida y las pasas, a la masa. Batir las claras a punto de nieve y añadir a la masa cuidadosamente, con las varillas.

- En una sartén, calentar una buena cantidad de mantequilla y agregar la mitad de la masa, hasta que esta cuaje en los bordes. Voltear y repetir la operación por el lado contrario, aproximadamente 3 min. Trocear con dos tenedores y añadir azúcar glas.

- Continuar elaborando la crep, sin dejar de remover, hasta lograr que brille y conservar caliente en el horno.

- Seguir el mismo procedimiento con la otra mitad de la masa.

Crepes
tour d'argent

1 ½ tazas de harina
3 yemas
1 clara
2 tazas de leche
Sal
½ taza de mantequilla derretida al baño María
2 cs de ron
Mantequilla

Las crepes, como mejor están, es de la sartén al plato.

- Batir los huevos en un bol, agregarles los demás ingredientes y batir con brío.
- En una sartén pequeña, del tamaño de un plato de postre, echar un poco de mantequilla (una nuez) y arrimar al fuego. Una vez caliente, aportar 1 cs de crema y dejarla dorar. Darle la vuelta como a una tortilla, para que se dore igual por ambos lados, y disponerla en un plato al calor.
- Repetir la operación hasta terminar la crema. Colocar al lado de cada crepe 1 cs de mermelada espesa, doblarlas como si fuesen empanadillas y acondicionarlas en una fuente de metal o refractaria.
- Rociar con ron y prenderles fuego al momento de llevarlas a la mesa.

Cruasanes

25 g (0,9 oz) de levadura
50 g (1,8 oz) de azúcar en polvo
1 taza de leche tibia
¼ kg (9 oz) de harina
½ ct de sal
120 g (4,2 oz) de mantequilla

- Preparar una masa con harina, levadura, azúcar, leche y sal (la levadura se ha de disolver previamente en un poco de leche tibia). Extender a continuación con el rodillo hasta formar un rectángulo. Cubrir luego con unos trocitos de mantequilla, doblar en tres, sellar los bordes, darle la vuelta y enrollar.
- Repetir dos veces más la operación de doblar y enrollar.
- Envolver en papel de aluminio y dejar 1 h en reposo.
- **Formar los cruasanes de la siguiente manera:** extender la masa y cortar en cuadrados. Espolvorear cada cuadrado con azúcar y un poquito de mantequilla. Enrollar partiendo de una punta y darle al rollo forma de media luna. Pintarlo con huevo batido y hornear 15 min a fuego moderado.

Cruasanes
de plátano

¼ kg (9 oz) de pasta
de hojaldre (pasta fresca
refrigerada)
6 cs de mermelada de naranja
1 plátano grande o 2 pequeños
Harina para extender
Yema de huevo

*Los cruasanes resultan todavía
más deliciosos si se conservan
tibios.*
*Los plátanos se pueden
sustituir por ciruelas pasas
deshuesadas y troceadas,
bañadas durante 10 min en
4 cl [1,3 fl oz] de aguardiente
de ciruelas.*

- Precalentar el horno a 200 °C (400 °F).
- Echar harina sobre la superficie de trabajo y extender la pasta de hojaldre.
- Cortar la pasta en 6 cuadrados de aproximadamente 10 cm (4 pulgadas) de lado.
- Sobre cada cuadrado, poner 1 ct de mermelada de naranja.
- Pelar y cortar en láminas el plátano; colocar una pequeña cantidad de ellas sobre la parte central de cada pieza de pasta.
- Enrollar cada una de estas piezas partiendo de una punta hasta formar un cruasán, apretando bien los lados e inclinándolos hacia delante.
- Pasar la placa del horno bajo el grifo de agua fría, y, sobre ella, distribuir los cruasanes de plátano.
- Pintarlos con huevo batido, antes de ponerlos a cocer en la parte central del horno durante 12 o 15 min.

Filloas
de anís

4 huevos
5 cs de azúcar
½ l (17 fl oz) de leche
La ralladura de ½ limón

Para el caramelo de la flanera:
3 cs de azúcar
2 cs de agua

- Mezclar los huevos con el anís, agregar la harina poco a poco y formar una pasta; aligerar esta pasta, primero con agua y luego con la leche que admita, hasta obtener una masa de consistencia suave, pero que se adhiera a la cuchara. Probar el punto al extenderla en la sartén, pues debe quedar muy fina.
- Poner una sartén a calentar, untar con manteca derretida y echar la pasta de la filloa; cuando la filloa esté cuajada, dar la vuelta con los dedos. Engrasar la sartén para cada filloa.
- Para presentar, rociar con miel o espolvorear con azúcar y canela.

Filloas
de caldo

1 hueso de caña
Despojos de pollo
1 piel de jamón
Huevos
Harina
Sal

- Hacer un caldo limpio con el hueso de caña, los despojos de pollo y la monda de jamón.
- Si tuviera mucha grasa, adelgazar en tibio con agua e irle añadiendo harina hasta que deje una capa blancuzca en el cacillo. Incorporar entonces los huevos batidos, calculando seis huevos por cada litro de caldo.
- Para la confección de las filloas, véase receta siguiente.

En caso de que la primera filloa rompa, es posible que necesite más harina.

Filloas
de leche

1 l (34 fl oz) de leche
¼ l (9 fl oz) de agua
7 huevos
Sal
350 g (12,3 oz) de harina, aprox.

- Añadir el agua a la leche e irle agregando la harina de modo que no forme grumos. Sazonar luego con la sal necesaria y verter los huevos batidos. A esta mezcla se le llama *amoado*.
- Pinchar con un tenedor un trozo de tocino grueso, untar una sartén de hierro con él y acompañar con un poco de *amoado*, que se extiende por la superficie imprimiendo a la sartén un ligero movimiento de vaivén. Poner al fuego, esperar a que se dore y darle la vuelta e igualar por el otro lado.
- Irlas colocando en un plato unas sobre otras.

Si el amoado no deja el cacillo untado con una capa blanca, es necesario ponerle más harina.

Filloas
rellenas

Filloas de leche
(véase receta, pág. 196)
Crema pastelera

- Elaborar las filloas e irlas rellenando una a una con la crema pastelera. Cerrarlas doblándolas por los lados y, después, enrollarlas de forma que queden como almohaditas. Dorar en mantequilla y espolvorear con azúcar.

- Llevar a la mesa y comerlas calientes.

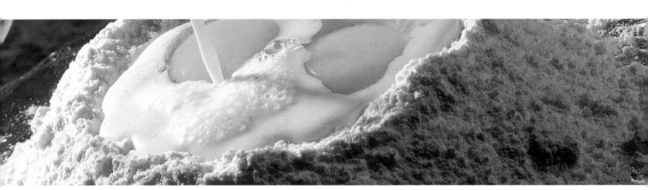

Frisuelos
(1.ª fórmula)

200 g (7 oz) de harina
1 limón
4 huevos
½ l (17 fl oz) de leche
3 cs de azúcar

- Batir los huevos, añadir la leche, el azúcar y la raspadura de limón. Añadir la harina poco a poco, batir y mezclar bien de forma que no queden grumos (la harina deberá ser muy fresca).

- En una sartén pequeña, poner un trozo pequeño de mantequilla o aceite fino, extendiéndolo bien por toda la sartén; cuando esté caliente, echar 2 cs de la pasta y mover con rapidez para que quede extendido por todo el fondo.

- Una vez cuajada con una espumadera, darle vuelta para que se dore por el otro lado. Ir colocando sobre una fuente espolvoreándolos con azúcar, uno sobre otro, hasta el final.

- Servir calientes de forma enrollada o doblados en cuatro. Igualmente que las crepes de crema, si agrada, estos mismos frisuelos separados unos de otros se pueden rellenar con nata, crema pastelera o mermeladas. Enrollar y espolvorear con azúcar molido.

Frisuelos
(2.ª fórmula)

½ l (17 fl oz) de leche
150 g (5 oz) de azúcar
125 g (4,4 oz) de harina
4 huevos
5 g (0,17 oz) de sal

- Batir en primer lugar los huevos, agregando luego unas cucharadas de harina, leche y azúcar con la sal indicada. Echar la harina poco a poco, de forma que la pasta vaya tomando un cuerpo espeso, como mayonesa.
- A continuación, tomar porciones con una cuchara sopera y echar en una sartén con un poco de aceite no muy caliente. Freír.
- Colocar los frisuelos resultantes en un plato y bañar en miel.

Frisuelos
(3.ª fórmula)

½ l (17 fl oz) de leche
2 cs de azúcar
2 huevos
Una pizca de sal
Un poco de levadura
Ralladura de limón
(al gusto)
Harina
Aceite
Azúcar para
el espolvoreo final

- Excepto el aceite que se reserva para la fritura, batir bien todos los ingredientes en un bol hasta conseguir una masa o pasta muy ligera que se deja reposar, al calor de la cocina, durante 2 h.
- En una sartén bien engrasada con aceite o con tocino, echar un cazo de pasta cuidando que quede bien extendida y freír por ambos lados hasta que tengan un aspecto dorado suave. Hacer lo mismo con el resto de la masa.
- Finalizada la fritura, colocar los frisuelos en una fuente y espolvorear con azúcar de grano.
- Servir templados, directamente o enrollados, uno a uno, en forma de canuto.

Antes de freír los frisuelos, engrase la sartén con un poco de aceite de girasol o, mejor aún, con una corteza de tocino. Aromatizar los frisuelos con unas gotas de anís no es un método aconsejable.

Gofres

- Diluir la levadura en la leche templada y añadir 1 ct de azúcar. Dejar reposar en un lugar caliente durante 15 min.
- Batir un poco la nata.
- Batir los huevos con una pizca de sal, el resto del azúcar y el azúcar de vainilla a punto de espuma.
- Unir los huevos, la nata y la leche con levadura. Agregar la mantequilla y la harina tamizada y amasar bien.
- Dejar la masa bien tapada en un lugar caliente durante 45 min para que fermente.
- Calentar y engrasar la barquillera.
- Poner 1 cs de masa de cada vez en la barquillera y extender. Tapar y dejar hacer el gofre hasta que esté dorado.
- Dejar enfriar ligeramente sobre una rejilla. Separar los gofres con un cuchillo y cortar los bordes.
- Espolvorear con azúcar glas.

⅛ l (4,2 fl oz) de leche
20 g (0,7 oz) de levadura
70 g (2,4 oz) de azúcar
200 g (7 oz) de nata
2 huevos
2 cs de azúcar de vainilla
60 g (2,1 oz) de mantequilla
350 g (12,3 oz) de harina
Azúcar glas
Sal

Los panqueques son parecidos a las filloas, pueden rellenarse y tener diversas presentaciones.

Panqueques

- Juntar en un recipiente, o en la batidora, la harina con los huevos, la leche, el azúcar y la mantequilla derretida. Mezclar bien y reposar durante 1 h.
- En una sartén donde no se peguen los alimentos, colocar un trocito de mantequilla y, ya derretida, echar un poco del preparado con un cucharón, imprimiéndole a la sartén un movimiento envolvente, como para hacer filloas, a fin de que la pasta se extienda por un igual. Cuando esté dorado, darle la vuelta para que se dore también por el otro lado.

170 g (6 oz) de harina
3 huevos
½ l (17 fl oz) de leche
1 cs de azúcar
50 g (1,8 oz) de mantequilla derretida

Panqueques
con dulce de leche

Los mismos que para los
panqueques de la página
anterior
Leche condensada cocida

- Hacer los panqueques según hemos explicado en la receta anterior y rellenarlos con leche condensada cocida. Doblar los lados hacia el interior y enrollar con cuidado.
- **Variantes:** rellenos de crema pastelera de chocolate y regados con salsa de chocolate.
- Rellenos de nata y acompañados con salsa de chocolate.
- Rellenos de crema pastelera.

Panqueques
de plátano

170 g (6 oz) de harina
3 huevos
½ l (17 fl oz) de leche
1 cs de azúcar
50 g (1,8 oz) de mantequilla
derretida
3 plátanos aplastados

Para la salsa de naranja:
200 g (7 oz) de azúcar
El zumo colado de 3 naranjas
1 dl (3,4 fl oz) de agua
2 copitas de *brandy* o ron

- Montar la harina, los huevos, la leche, el azúcar y la mantequilla derretida (en el vaso de la batidora o en un recipiente). Mezclar y reposar 1 h.
- Pasado este tiempo, aplastar bien los plátanos, incorporarlos al batido y mezclar muy bien.
- Utilizar una sartén donde no se peguen los alimentos y poner en ella un trocito de mantequilla. Cuando esté derretida, echar con un cucharón un poco de la preparación, dándole a la sartén un movimiento envolvente a fin de que se extienda la pasta por un igual; una vez dorada, darle la vuelta para que se dore por el otro lado.
- Doblarlos por la mitad y presentarlos cubiertos con salsa de naranja caliente.
- **Para la salsa de naranja:** calentar el azúcar y el agua en un cazo pequeño, hervir durante 5 min y agregar el zumo de las naranjas colado. Dejar cocer otros 3 o 4 min más, retirar y agregar *brandy* o ron.

Torrijas
(1.ª fórmula)

Pan del día anterior
Leche
Piel de limón
Azúcar
Huevo
Pan rallado
Aceite
Canela

- Cortar el pan en rebanadas de 1 cm (0,4 pulgadas) de grosor. Depositarlas sobre una fuente honda. Poner a hervir la leche con una piel de limón y azúcar, y regar luego por encima del pan.

- Tras ablandar las rebanadas, rebozarlas en frío en huevo y pan rallado y freírlas hasta ponerlas doraditas.

- Echarles un poco de azúcar y canela por encima. Servir.

Torrijas
(2.ª fórmula)

Un pan especial (de 2 días)
1 l (34 fl oz) de leche
4 huevos
1 limón
1 palo de canela
Un vaso pequeño de vino blanco
100 g (3,5 oz) de azúcar

- Cortar el pan en rebanadas de 2 cm (0,78 pulgadas) de grosor. Remojar en leche (sin estrujarlas) y rebozar en huevo batido. Freír lentamente en aceite caliente. Quemar el aceite con una corteza de limón.

- Aparte, preparar un almíbar con un vaso grande de agua, uno pequeño de vino blanco, un vaso grande de azúcar, la corteza de limón y la canela en rama. Hervir un rato y retirar la corteza de limón y el palo de canela.

- Poner las tostadas con el almíbar preparado a fuego lento durante 30 min en una cazuela. Servir con su jugo.

- Las torrijas deben estar ligeramente cubiertas con el almíbar, por lo tanto, como depende del tamaño de la cazuela, el almíbar se hará en mayor o menor proporción.

Tostadas
con miel y piñones

12 rebanadas de pan seco
(de barra de ½ kg –17 oz–)
50 g (1,8 oz) de piñones
½ l (17 fl oz) de leche
3 tazas de café de miel
3 huevos
Aceite de oliva

- Empapar las rebanadas o tostadas de pan con la leche dispuesta en un plato o una fuente honda.
- Una vez escurrida la leche, pasar por el huevo batido y freír en el aceite caliente.
- Darles vuelta por un lado y por el otro, para retirarlas cuando estén doradas y bien escurridas de aceite.
- Así fritas, disponer en una bandeja, rociar con miel y esparcir los piñones por encima.

Emplee una espátula para sacar el pan de la leche, pues de lo contrario las rebanadas se rompen con facilidad. El aceite debe estar a una temperatura moderada, ya que si es demasiado fuerte, las tostadas se ennegrecerán rápidamente.

Un poco de azúcar en el huevo dará aún más dulzura a este plato [ya de por sí adorado por los muy golosos].

Tostadas
de Navidad

1 barra de pan blanco de 1 kg (2,2 lb)
1 l (34 fl oz) de leche
200 g (7 fl oz) de azúcar
4 huevos
2 ralladuras de limón
2 palitos de canela
1 copa de anís
Aceite de girasol
Almidón

- Poner la leche a hervir con el palo de canela, 1 ralladura de limón y 100 g (3,5 oz) de azúcar.

- Aparte, preparar un almidón con los otros 100 g (3,5 oz) de azúcar, 1 copa de anís, 4 cs de agua, 1 palito de canela y la otra ralladura de 1 limón.

- Cortar el pan en rebanadas de 1 cm (0,4 pulgadas) de grosor; pasarlas por la leche aromatizada para, una vez escurridas, rebozarlas en el huevo batido.

- Así preparadas, freír en una sartén con abundante aceite de girasol caliente. Luego, una vez tostadas, disponer sobre una fuente y rociar con el almidón.

Frutas,
compotas y mermeladas

Banana split

4 plátanos
Helado de vainilla
Helado de chocolate
Helado de fresa
Nata montada
3 guindas
1 rodaja de piña
Sirope de chocolate
Sirope de fresa
Nueces con miel

- Pelar y cortar los plátanos por la mitad, longitudinalmente.
- Colocar en una fuente redonda grande en círculo.
- Poner bolas de helado de distinto sabor en hilera.
- Colocar una rodaja de piña sobre el helado de vainilla, sirope de chocolate sobre el helado de fresa y sirope de fresa sobre el helado de chocolate.
- Adornar con nata montada.
- Espolvorear las nueces por encima de la nata.
- Decorar con las 3 guindas. Servir.

Barcas
de piña

1 lata de piña
1 bote de melocotones
Fresas
Nata montada

- Disponer las rodajas de piña en una fuente y, sobre cada una de ellas, depositar ½ melocotón bocarriba. Rellenar el hueco del melocotón con nata y, sobre esta, colocar una fresa. Si no fuera tiempo de fresas, se puede emplear una cereza confitada.
- Adornar con cabello de ángel y una flor natural.

Bolas
de melón frías

- Cortar el melón en trozos y quitar las pepitas. Después, con un vaciador esférico, sacar cuantas bolas de melón sea posible y reservar; colocar el resto de la fruta en un recipiente.

- Exprimir las naranjas y echar el zumo, con el azúcar, en el recipiente antes mencionado. Pasar todo por la batidora hasta que esté bien deshecho.

- Pelar el limón haciendo tiras finas con la cáscara, y sacar el jugo. Poner el jugo a calentar en un recipiente al fuego.

- Pasar por agua la gelatina y, a continuación, disolver en el zumo de limón. Añadir también el licor de naranja y el puré obtenido anteriormente.

- Finalmente, agregar las bolas de melón a la mezcla y meter en el frigorífico. Servir frío.

1 melón de aproximadamente
1 ½ kg (3,3 lb)
100 g (3,5 oz) de azúcar
⅛ l (4,2 fl oz) de agua
2 naranjas
1 limón
2 láminas de gelatina
2 cs de licor de naranja

Brocheta
de piña

8 rodajas de piña
4 ct de canela
4 ct de azúcar

- Mezclar la canela y el azúcar.

- Cortar las rodajas de piña en trozos no muy grandes. Pinchar estos trozos en la brocheta.

- Pasar la piña por la mezcla elaborada inicialmente, hasta que esté bien cubierta de la misma.

- Precalentar el horno a 180 °C (350 °F).

- Envolver la brocheta con papel de aluminio e introducir en el horno 10 min.

- Una vez fuera, quitar el papel y servir.

Cabello
de ángel

1 calabaza mediana
1 cidra
1 rama de canela
1 cs de sal
Azúcar

- Quitar todas las pepitas a la calabaza. Retirar la corteza y partir la pulpa en 8 trozos.
- Echar en agua hirviendo con sal y dejar cocer 1 h aproximadamente, hasta comprobar que se pueden separar fácilmente los hilos.
- Tomar con la espumadera y echar en agua fría, separar los hilos con las manos, escurrir y pesar.
- Poner la misma cantidad de cidra que de azúcar y la canela, y dejar que dé un hervor, removiendo con una espátula de palo para que no se pegue.
- Dejar reposar y volver a hervir 5 min; dejar reposar otra vez y hervir nuevamente unos minutos. Dejar hasta el día siguiente y repetir la misma operación.
- Cuando esté bien cocido, dejar enfriar y envasar.

Carne
de membrillo

- Escoger membrillos sanos y maduros. Pelar, descorazonar y cortarlos en 4 trozos.
- Echarlos luego en un pote con agua hirviendo y dejar que cuezan hasta enternecer. Para saberlo, comprobar si se pinchan fácilmente con un tenedor. Escurrir sobre un tamiz y pasarlos por el pasapurés, obteniendo una pasta muy fina.
- Pesar la cantidad de pasta obtenida y aportar la misma cantidad de azúcar. Cocer todo junto, revolviendo con una cuchara de madera con cuidado de que no se pegue al fondo, hasta que el dulce muestre una buena consistencia.
- Llenar unos moldes de loza o cristal y dejar enfriar.

Membrillos maduros
Azúcar (misma cantidad que el peso de la carne)

Castañas
con leche

1 kg (2,2 lb) de castañas
1 l (34 fl oz) de leche
Un manojo de hinojos
Azúcar
Canela
Sal

- Cocer las castañas peladas unos minutos. Retirar del cazo y quitar la segunda piel a las castañas.
- Poner al fuego en un cazo con agua, sal e hinojo y, a media cocción, retirar, dejar enfriar un poco y escurrir.
- Verter leche caliente encima y dejar cocer hasta que estén tiernas, pero no demasiado, pues conviene que se conserven enteras.
- Una vez cocidas, volcar en una fuente y espolvorear con azúcar.

Cerezas
en aguardiente

2 kg (4,4 lb) de cerezas
¾ kg (26,5 oz) de azúcar
3 palos de canela en rama
Aguardiente de caña

- Lavar las cerezas y quitar los rabos. Colocar en frascos con unas cucharadas de azúcar y una rama de canela (depende del tamaño). Una vez llenos, cubrir de aguardiente, cerrar y dejar una larga temporada hasta que estén de color marrón y el aguardiente haya tomado el sabor característico.

Ciruelas
en almíbar

1 kg (2,2 lb) de ciruelas
2 ½ kg (5,5 lb) de azúcar

- Poner a cocer las ciruelas en una cazuela con agua para que se ablanden. Cuando estén tiernas, escurrir y echar en agua fría.

- Aclarar el azúcar con agua y dejar hervir un poco. Apartar del fuego y, cuando esté templado, verter sobre las ciruelas.

- Dejar las ciruelas en el almíbar aproximadamente 4 h. Escurrir, calentar el jarabe de nuevo y verter sobre la fruta.

- Repetir esta operación hasta que las ciruelas estén bastante cubiertas. Entonces, escurrir y poner a secar o colocar en tarros de cristal y cubrir con el almíbar.

Compota
al vino tinto

200 g (7 oz) de orejones
de melocotón
200 g (7 oz) de ciruelas pasas
1 corteza de naranja
200 g (7 oz) de higos secos
200 g (7 oz) de manzanas
1 corteza de limón
¾ l (26,5 fl oz) de vino tinto
1 palito de canela
150 g (5 oz) de azúcar
200 g (7 oz) de peras
1 l (34 fl oz) de agua

- En una cazuela puesta al fuego, verter el vino y el azúcar y, cuando comience a hervir, prenderle fuego para que se queme el alcohol.

- Una vez apagada la llama, añadirle el agua, la corteza de naranja y la de limón, el palito de canela y los orejones de melocotón; dejar hervir todo junto aproximadamente 15 min.

- Pasado este tiempo, añadir las ciruelas, los higos y las peras, cortadas en 6 trozos y libres de pepitas, y dejar hervir todo durante otros 10 min.

- Por último, añadir las manzanas despepitadas y cortadas también en 6 trozos, y dejar cocer todo junto aproximadamente 3 min más. Retirar del fuego y dejar enfriar antes de servir.

El vino tinto debe ser joven, porque tiene más color. Antes de cocer, la fruta debe lavarse en agua fría.

Compota
de frutos secos

200 g (7 oz) de albaricoques
secos
200 g (7 oz) de ciruelas
200 g (7 oz) de dátiles
200 g (7 oz) de higos
200 g (7 oz) de pasas
200 g (7 oz) de azúcar
100 g de piñones
1 rodaja de cáscara
de naranja
1 rodaja de cáscara
de limón
½ l (17 fl oz) de vino blanco
½ l (17 fl oz) de agua
½ rama de canela

- Excepto los dátiles y los piñones, colocar los demás ingredientes en una cazuela con el azúcar, las cáscaras de naranja y de limón y la canela.

- Después de exponer al fuego la cazuela durante unos minutos, incorporar los dátiles en el último momento.

- Verter la compota en un recipiente de cristal. Saltear los piñones por encima.

- Servir el postre frío, acompañado si se desea con helado o merengue al gusto.

En la realización de esta receta utilice pasas de Corinto sin pepita. Para ablandar los higos demasiado secos, póngalos un momento sobre un vaporizador.

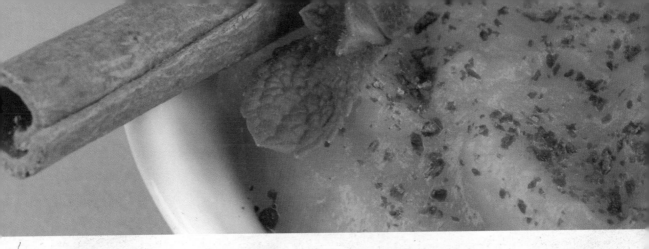

Compota
de manzana

1 kg (2,2 lb) de manzanas
reinetas
150 g (5 oz) de azúcar
½ vasito de vino blanco
½ vasito de agua

- Pelar las manzanas, quitarles el corazón y cortarlas en rebanadas o trocitos. Depositarlas en un cazo con azúcar, vino y agua y dejar que cuezan. Remover de vez en cuando con una cuchara de madera y, si necesitaran más líquido, remojar con un poco de agua.
- Servir fría o tibia, nunca caliente.

Al pelar las manzanas, mientras esperan a ser cortadas, sumergirlas en agua acidulada con limón para evitar que se pongan oscuras.

Compota
de Navidad

3 manzanas
3 peras
4 orejones
4 ciruelas secas
12 pasas
1 vaso pequeño de vino tinto
½ rama de canela
Azúcar

- Picar las manzanas y peras en un recipiente; añadir el resto de los ingredientes.
- Cubrir todo con agua y poner a fuego lento hasta que se haga.
- Retirar del fuego y dejar reposar durante unos instantes antes de servir.

Compota
de peras

1 kg (2,2 lb) de peras
700 g (24,6 oz) de azúcar
La ralladura de 1 limón
1 vaso pequeño de vino blanco
¼ l (9 fl oz) de agua
Canela en polvo

- Pelar las peras. Despepitar y cortar en gajos. Colocar en una tartera del tamaño adecuado.
- Hacer un almíbar con el azúcar y el agua y echar sobre las peras.
- Añadir las ralladuras de limón y el vino blanco y dejar cocer a fuego lento durante 30 min.
- Servir en compotera, espolvoreada con canela.

Dulce
de castañas

¾ kg (26,5 oz) de castañas
1 copa de ron
100 g (3,5 oz) de mantequilla
½ barrita de vainilla
200 g (7 oz) de nata montada
150 g (5 oz) de chocolate rallado
200 g (7 oz) de azúcar
½ l (17 fl oz) de leche
2 huevos

- Quitar la piel gruesa a las castañas y echarlas de pocas en pocas en agua hirviendo; retirar también la piel fina. Una vez peladas, ponerlas en la leche y agregar 2 dl (6,7 fl oz) de agua, la vainilla y una pizca de sal. Dejar cocer.
- Una vez cocidas, escurrir y pasar por un tamiz o un pasapurés. Disponer el puré obtenido en un recipiente y añadir el chocolate rallado, el azúcar, las yemas, la mantequilla y el ron. Trabajar muy bien con la espátula y formar una masa fina y unida. Incorporar las claras a punto de nieve.
- Bien mezclado todo, echar en un cuenco de cristal, llevar a la nevera y, ya todo bien frío, decorar con la nata montada puesta en una manga pastelera de boquilla rizada.

Dulce
de coco

100 g (3,5 oz) de coco rallado
100 g (3,5 oz) de azúcar
en polvo
2 yemas de huevo
1 vaso de agua

- Poner al fuego el agua con el azúcar y dejar hervir para que se forme almíbar. Sabremos que está en su punto metiendo una cuchara en él; al sacarla, las gotas han de formar un hilo.
- Entonces, apartar del fuego y añadir el coco rallado, removiendo para que se mezcle bien. Ya casi frío, incorporar las yemas muy batidas, uniendo todo perfectamente. En un molde untado con aceite, echar el conjunto que doraremos en el horno, hasta verlo con un color dorado fuerte.

Dulce
de higos

4 kg (8,8 lb) de higos
3 ramas de canela
4 kg (8,8 lb) de azúcar

Seleccionar higos verdes y duros pero ya desarrollados y que todavía suelten leche. También se pueden secar al aire y quedan como escarchados.

- Pinchar cada higo 2 veces con un tenedor de dientes muy punzantes y dejar en agua 24 h. Cambiar el agua varias veces. Colocar en un recipiente de barro y con unas tapaderas o unos platos sobre los higos, pues tienden a subir a la superficie y conviene que estén cubiertos por el agua.
- Escurrir del agua del remojo, colocar en una tartera grande, cubrir de agua y dar un hervor. Tirar parte del agua y dejar cubiertos solo hasta la mitad; añadir el azúcar y la canela y dar otro hervor. Dejar en reposo hasta el día siguiente para que vayan absorbiendo el almíbar.
- Pasadas 24 h, cocer de nuevo, teniendo cuidado de revolverlos para que no se peguen, y dejar en reposo. Repetir esta operación 3 días más hasta que al cocerlos ya no formen espuma, tengan todos un color verde y no estén amarillentos por algún lado, como ocurre en las primeras cocciones.
- Enfriar y envasar en tarros pequeños, pues se conservan mucho mejor (sirven los de cristal de mermelada). Cubrir totalmente por el almíbar. Dejar algún trozo de canela, pues les va muy bien.

Dulce
de limón

¼ kg (9 oz) de limones
½ kg (17 oz) de azúcar
50 g (1,8 oz) de mantequilla
6 huevos

- Rallar y exprimir los limones.
- Batir los huevos y añadir el azúcar, el zumo y las ralladuras de los limones. Una vez bien mezclado todo, incorporar la mantequilla y cocer al baño María hasta que el azúcar esté bien disuelto, moviendo constantemente para el mismo lado con espátula o cuchara de madera.
- Retirar y dejar enfriar.

Conservar en el frigorífico.
Puede tomarse como postre o como mermelada
en desayunos y meriendas. Si se quiere más
consistente, le agregaremos 2 hojas de cola
de pescado previamente remojadas, antes de
ponerlo al fuego.

Dulce
de manzana

1 kg (2,2 lb) de manzanas
½ kg (17 oz) de azúcar
1 rama de canela

- Lavar las manzanas. Quitar los corazones. Cortar las manzanas en trozos pequeños y colocar en un recipiente con un poquito de agua en el fondo y la canela. Poner al fuego hasta que estén blandas.
- Pasar por el pasapurés y luego por la batidora, añadir el azúcar y dejar cocer removiendo constantemente hasta que se solidifique la masa.
- Verter en moldes y cubrir primero con una gasa dejándolo al aire hasta que se endurezca. Colocar luego un papel de celofán, una vez retirada la gasa, y tapar la lata; cubrir con papel de pergamino y atar con hilo de bramante.

Dulce
de membrillo

1 kg (2,2 lb) de membrillos
¾ kg (26,5 oz) de azúcar

Se puede hacer el dulce cociendo los membrillos enteros, después de limpiarlos bien con un paño para quitarles la pelusa. Una vez cocidos, se pelan o se le separan los corazones, siguiendo luego el mismo procedimiento para hacer el dulce.

- Pelar y pesar los membrillos.
- Colocar la carne de los membrillos en una tartera con el fondo cubierto de agua. Acercar la tartera al fuego y cocer.
- Cuando los membrillos estén tiernos, pasar por la batidora. Añadir el azúcar, poner la pasta al fuego y, desde que rompe a hervir, dejar cocer entre 25 y 30 min, removiendo constantemente para que no se pegue.
- Enfriar y colocar en moldes cubiertos con una gasa. Dejar al aire unos tres días para que se endurezca. Cubrir con papel de pergamino o de celofán y cerrar las latas o atar con hilo de bramante para impedir el paso del aire.

Dulce
de tomate

4 kg (8,8 lb) de tomates maduros
4 kg (8,8 lb) de azúcar
½ limón
Canela en rama o vainilla

- Escaldar los tomates en agua caliente. Echar luego en agua fría y pelar. Si tienen muchas semillas, retirar con una cucharita y poner de nuevo en agua fría.
- En una cazuela, colocar el azúcar y un poco de agua. Acercar al fuego y, cuando rompa a hervir, añadir los tomates troceados, la parte blanca de la corteza del limón y la canela o la vainilla.
- Cocer a fuego lento 3 h aproximadamente moviendo de vez en cuando con la espátula para que no se agarre. Cuando el almíbar haya adquirido punto de hebra, retirar, dejar enfriar y envasar en tarros de cristal bien cerrados.

Fresas
con chocolate

Fresas
150 g (5 oz) de azúcar
2 cs de agua
50 g (1,8 oz) de chocolate
fondant o sin leche
2 cs de mantequilla

- Lavar las fresas sin quitarles el rabito, escurrirlas y secarlas.

- Poner un cazo al fuego con azúcar salpicada de agua y, cuando hierva a borbotones, retirar del fuego y echar el chocolate *fondant* o sin leche.

- Una vez derretido, añadir la mantequilla. Conservar al baño María e ir bañando las puntas de las fresas en el chocolate hasta la mitad.

- Poner a enfriar y dejarlas en la nevera hasta el momento de servirlas.

Para que al enfriar no se chafe el baño de chocolate, disponer un colador con agujeros bocabajo y colocar los rabitos de las fresas en cada agujero. Una vez frías, ya se pueden trasladar a una fuente.

Fresas
con crema de piña

½ kg (17 oz) de fresas
1 cs rasa de azúcar glas
400 g (14 oz) de piña en lata
2 cs de *kirsch*
1 o 2 l (34-68 fl oz) de nata montada
1 clara de huevo
30 g (1 oz) de azúcar glas

- Apartar unas fresas para el adorno final y el resto, ponerlas en un bol a macerar 1 o 2 h con 1 cs de azúcar glas y el *kirsch*.

- Bien escurrida, machacar la piña y reservar asimismo unos trozos enteros para la presentación.

- Batir la clara a punto de nieve y agregar la nata montada, luego los 30 g (1 oz) de azúcar glas y, en último lugar, la piña. Incorporar todo unificando bien.

- Disponer las fresas en una fuente, regarlas por encima con la crema de piña y adornar con las fresas que hemos reservado y los trozos de piña.

- Servir en frío, para lo cual las tendremos en la nevera hasta el momento de su consumo.

Fresas
con nata

½ kg (17 oz) de fresas
3 naranjas grandes con zumo
300 g (10,6 oz) de nata
1 vaso muy pequeño de *kirsch*
50 g (1,8 oz) de azúcar glas
4 ct de mermelada
de albaricoque

- Partir las naranjas por la mitad. Vaciar de su pulpa sin romper la cáscara, así obtenemos 6 cazuelitas.
- Limpiar las fresas y apartar 36 de las más bonitas.
- Mezclar las restantes con el *kirsch*, la mermelada y 1 cs de zumo de naranja. Con ello, llenar las cazuelitas; cubrir las cazuelitas con una pirámide de nata batida con el azúcar glas.
- Servir muy frías.

Fresas
en copa

½ kg (17 oz) de fresas
Azúcar
El zumo de 2 naranjas
Nata montada

- Reservar unas cuantas fresas y repartir las otras en 4 copas de cóctel, así como el zumo de las naranjas. Endulzar cada copa con una buena cucharada de azúcar.
- Triturar las fresas reservadas con la batidora, mezclarlas con la nata montada y guarnecer las copas con esta nata de sabor a fresa.

Fresón
al limón y canela

- En una ensaladera honda, poner el agua, el zumo de los 2 limones y el azúcar.
- Cuando esté todo junto, remover bien hasta que el azúcar se haya disuelto.
- Trocear los fresones en pedazos más grandes o más pequeños, según sea su tamaño, echar luego en la ensaladera y remover muy bien, para que el caldo preparado previamente las empape con su aroma.
- Así preparados, dejar los fresones alrededor de 1 h en el frigorífico en maceración.
- Transcurrido el tiempo, retirar del frigorífico y espolvorear con canela molida antes de servirlos.

400 g (14 oz) de fresones
El zumo de 2 limones
½ vaso de agua
3 cs de azúcar
Canela molida

Compre los fresones maduros, ya que, a diferencia de otras frutas, estos no maduran a temperatura ambiente. Por idéntico motivo, úselos enseguida.

Gelatina
de ciruelas

¾ kg (26,5 oz) de ciruelas
5 cs de azúcar
⅛ l (4,2 fl oz) de agua
⅛ l (4,2 fl oz) de vino tinto
2 cs de maicena
½ rama de canela
Corteza de limón

- Lavar las ciruelas. Quitar el hueso y trocear las ciruelas.
- En un cazo al fuego, poner el vino, el agua, la corteza de limón, el azúcar y la canela.
- Cuando den un primer hervor, añadir las ciruelas troceadas y, todo junto, volver a llevar a ebullición.
- Desleír la maicena en agua. Agregar la maicena desleída y dejar hervir de nuevo.
- Sacar la rama de canela y la corteza de limón de la mezcla. Echar la mezcla en un recipiente e introducir en el frigorífico para que cuaje.
- Una vez cuajada, servir.

pueden conservarse durante muchos días en latas o en tarros de cristal o de plástico cerrados.

Glaseado
de albaricoque

1 tarro de mermelada
de albaricoque
4 o 5 cs de azúcar glas

- Pasar la mermelada por el pasapurés sobre una cacerolita con 4 cs de azúcar glas. Cocer luego hasta que, echando con una cuchara un poquito en un plato, no se esparza y cuaje al enfriar. Si aún no tiene este punto, agregar la otra cucharada de azúcar y cocer un poco más, pero no mucho, pues endurecería demasiado.
- Retirar luego del fuego y, una vez tibio, extender bien con un cuchillo o una espátula.

De igual manera se hacen los glaseados de fresa, frambuesa, etc., pudiendo ser la mermelada fresca o en conserva.

Macedonia
de frutas

1 bote de leche condensada
1 bote de melocotón
3 plátanos
2 manzanas
1 copa de coñac

- Vaciar el bote de leche condensada y el almíbar de los melocotones en un cacharro hondo de cristal o porcelana, añadir también las frutas previamente cortadas en trocitos y remojar con la copa de coñac.
- Dejar en la nevera y, a la hora de la degustación, presentar en copas anchas.

Macedonia
de frutas con merengue

¼ kg (9 oz) de cerezas
¼ kg (9 oz) de plátanos
¼ kg (9 oz) de albaricoques
½ kg (17 oz) de melocotones
¼ kg (9 oz) de peras
¼ kg (9 oz) de fresas
200 g (7 oz) de azúcar
2 dl (6,7 fl oz) de vino blanco

- Disolver el azúcar en un chorro de agua. Pelar aparte las frutas que lo requieran y picarlas en cuadraditos. Eliminar los huesos a las cerezas.

- Mezclar todo en un cuenco hondo de cristal y rociar con el azúcar y el vino. Dejar en maceración 2 h y conservar en la nevera para que la macedonia esté muy fría cuando la sirvamos.

- Poco antes de consumirla, montar las claras a punto de nieve, azucararlas (1 cs de azúcar por cada clara) y llenar con ellas una manga pastelera de boquilla rizada haciendo cenefas sobre la macedonia.

Manzanas
al vino

6 manzanas
½ l (17 fl oz) de vino blanco
Crema pastelera
Caramelo líquido

- Descorazonar las manzanas y cocerlas en vino blanco. Mientras tanto, hacer una crema pastelera espesita.

- Recién hechas, dejar que enfríen y rellenar el hueco de las pepitas con crema pastelera. Servirlas frías bañadas con caramelo líquido.

Manzanas
asadas

4 manzanas reinetas
100 g (3,5 oz) de azúcar
mantequilla

- Descorazonar las manzanas y depositarlas en una bandeja en la que hemos puesto un poco de agua. Rellenar el hueco de azúcar y colocar encima del azúcar un trocito de mantequilla. Hornear a 180°C (356°F) durante 15-20 min, en función del tamaño de la fruta.
- Dejar que se enfríen antes de servir.

Manzanas
con crema

1 kg (2,2 lb) de manzanas
reinetas
Cerezas en almíbar
Crema pastelera

- Mondar las manzanas, descorazonarlas y asar al horno.
- Preparar una crema pastelera (véase receta, pág. 158).
- Recién asadas las manzanas, depositarlas sobre una fuente y cubrirlas con la crema pastelera. Montar las claras sobrantes de la crema a punto de nieve, agregar tantas cucharadas de azúcar como claras haya y repartir sobre la crema. Hacer al grill hasta darle un bonito tono dorado.

Sobre cada manzana se pone una cereza en almíbar.

Manzanas
con nata

1 kg (2,2 lb) de manzanas reinetas
Mantequilla
1 vaso de nata líquida
100 g (3,5 oz) de almendras laminadas
2 cs de azúcar

- Descorazonar las manzanas, rellenar el agujero con un montoncito de mantequilla y llevarlas al horno. Casi hechas, pasar a una fuente refractaria.
- Unir la nata con el azúcar, volcar sobre las manzanas y espolvorear con almendras laminadas.
- Pasar de nuevo por el horno a tostar.

Manzanas
en almíbar

Previamente descorazonadas, las manzanas han de cocer enteras.

7 manzanas
2 tazas pequeñas de azúcar
6 cerezas confitadas
1 taza pequeña de agua

- Tras mondar las manzanas, colocar 6 de ellas en un cazo con la taza de agua. Poner a cocer y, cuando están por un lado, darles la vuelta para que cuezan por el otro. Una vez hechas, pasarlas a una fuente.
- Poner la otra manzana cortada en trocitos y las dos tazas de azúcar en el agua de la cocción anterior. Dejar que cueza hasta hacer un almíbar espeso y verter sobre las manzanas.
- Como toque final, colocar una cereza sobre cada manzana.

Manzanas
glaseadas

6 manzanas de tamaño mediano
1 copa de vino blanco
100 g (3,5 oz) de azúcar
30 g (1 oz) de mantequilla
Vainilla, canela o limón (el aroma preferido)

- Elegir unas manzanas sanas y de forma bonita, mondarlas y vaciarlas quitándoles el corazón pero cuidando de que debajo quede pulpa.
- Rellenar el hueco con 10 g (0,35 oz) de mantequilla y, luego, depositarlas sobre un molde. Rociar con el vino, espolvorear con azúcar y llevar al horno. Bañarlas de vez en cuando con su propio jugo hasta dejarlas blandas, pero conservándolas enteras.
- Como colofón, poner en una fuente honda o compotera y saborear frías o tibias.

Manzanas
rellenas de crema catalana

6 manzanas grandes (golden)
200 g (7 oz) de azúcar
1 vaso de vino blanco
1 vaso de agua

- **Para elaborar la crema:** realizar la crema de la forma acostumbrada (véase pág. 146), preparada más espesa y dura de lo habitual al añadirle más cantidad de maicena para esta ocasión. Una vez elaborada la crema, mejor el día anterior, meterla en el frigorífico y dejarla las horas precisas para que tome cuerpo.
- **Para elaborar las manzanas:** vaciar el corazón de las manzanas con un cuchillo pequeño o con un aparato especial. Para hornearlas, colocarlas en una bandeja espolvoreadas con 50 g (1,8 oz) de azúcar, rociar con vino y echarle agua. Con el horno a intensidad moderada, dejarlas hasta que ablanden, retirar y enfríar en el frigorífico. Disponer en platos o cazuelitas individuales, dándoles forma con las yemas de los dedos y procurando dejar espacio para la crema. Con una cuchara o con una manga pastelera, rellenar las cazuelitas con la crema y decorar con el caramelo (realizado con el resto del agua y del azúcar).

Manzanas
suflé

1 kg (2,2 lb) de manzanas
reinetas
2 huevos
½ l (17 fl oz) de leche
6 cs de azúcar
2 cs de maicena
1 copa de coñac

- Pelar las manzanas y retirarles el corazón. Trocearlas luego en forma de gajos gruesos y acondicionar en una fuente de hornear. Espolvorear con 2 cs de azúcar y mojar con la copa de licor. Llevar a horno fuerte 10 min y, pasado el tiempo, reservar aparte.

- Calentar la leche con el resto del azúcar en un cazo. Nada más rompa el hervor, añadir la maicena disuelta con las 2 yemas y 2 cs de leche fría. Proseguir la cocción y, removiendo con constancia, retirar del fuego tras 5 o 10 min.

- Batir las claras a punto de nieve y mezclar con la crema. Napar después con ella las manzanas y dorar en el horno.

- Para servirlas, presentarlas templadas en la misma fuente.

Maravillas
de chocolate

1 bote de leche condensada
100 g (3,5 oz) de cacao en polvo
1 copa de coñac
50 g (1,8 oz) de chocolate puro

- Mezclar el contenido de un bote de leche condensada con el cacao en polvo, la copa de coñac y el chocolate puro.

- Tras ligar todo esto muy bien, ponerlo al baño María hasta que endurezca. Retirarlo luego a un plato, formar bolitas iguales, pasarlas por azúcar molido e ir colocándolas en moldes de papel.

Melocotones
con helado

8 bolas de helado de vainilla
8 medios melocotones
en almíbar
Salsa de chocolate

Para la salsa de chocolate:
2 dl (68 fl oz) de agua
150 g (5 oz) de chocolate
sin leche
1 ct de azúcar avainillado
1 ct de mantequilla
3 cs de nata líquida

- Depositar 1 bola de helado sobre cada ½ melocotón. Regar con salsa de chocolate.
- **Para la salsa de chocolate:** calentar agua en un cazo y derretir el chocolate sin leche cortado en trocitos en ella. Retirar del fuego y aportar el azúcar avainillado, la mantequilla y la nata líquida. Arrimar de nuevo al fuego y cocer 1 min sin parar de remover.

Para elaborar esta receta utilice sólo melocotones de carne amarilla, pues los melocotones blancos o "abridores" no sirven. Recuerde que también puede prepararla con albaricoques.

Melocotones
en vino

6 melocotones de carne amarilla
1 palito de canela en rama
2 ½ l (85 fl oz) de vino tinto rancio
100 g (3,5 oz) de azúcar
La corteza de 1 limón

- Pelar los 6 melocotones de carne amarilla y trocearlos después.
- Dispuestos los trozos en un recipiente de barro o madera, rociarlos con el azúcar y añadirles el vino, la corteza del limón y la canela.
- Una vez preparados los melocotones, dejarlos macerar en este líquido durante 4 o 5 días.
- Cuando se hayan impregnado del aroma de la preparación, están listos para su consumo.

Melocotones
rellenos

4 melocotones gordos
4 bizcochos de soletilla
1 yema de huevo
6 cs de leche condensada
1 vaso pequeño de vino blanco
semiseco
1 vaso de agua
50 g (1,8 oz) de almendras
tostadas
Canela molida

- Tras pelar los melocotones, retirarles el hueso, sacándolo por la parte de arriba.

- En un bol, poner los bizcochos desmenuzados, para mezclarlos, acto seguido, con la leche condensada y la almendra picada.

- Asimismo, añadir la yema de huevo y un poco de canela. Mezclar bien todos los ingredientes.

- A medida que los melocotones se van rellenando con esta crema, distribuirlos sobre una fuente de hornear.

- Cuando estén todos listos, antes de pasarlos 15 min por el horno a fuego suave, rociarlos con el vino y 1 vaso de agua.

- Aunque también pueden servirse en frío, es mejor disfrutarlos nada más hayan salido del horno.

Melón
afrutado

1 melón grande o 2 pequeños
100 g (3,5 oz) de pasas
sin semillas
50 g (1,8 oz) de nueces picadas
gruesas
50 g (1,8 oz) de frutas confitadas
1 ½ tazas de uvas negras
6 cs de azúcar
1 copa de coñac
El zumo de 1 naranja
1 cs de zumo de limón
Nata montada
Cerezas confitadas

- Macerar las pasas en zumo de naranja y limón durante 1 h, escurrirlas y disponerlas en un bol. Añadir las nueces, las frutas confitadas cortadas en trozos grandes y las uvas frescas limpias y sin semillas. Regar el conjunto con el coñac para potenciar su sabor.

- Retirar parte de la tapa al melón y extraer la pulpa procurando no dañar la cáscara. Eliminar las semillas y los filamentos, cortar la pulpa en daditos e incorporarlos a la mezcla anterior. Bañar con el zumo de naranja de la maceración y endulzar con el azúcar.

- Rellenar el melón con todo ello, colocarlo en un recipiente adecuado y mantenerlo un mínimo de 2 h en la nevera.

- Acompañar con la nata montada y unas cerezas confitadas.

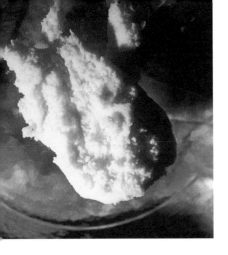

Melón
con queso

1 melón grande maduro
200 g (7 oz) de queso de bola
200 g (7 oz) de jamón cocido
1 copa de jerez
100 g (3,5 oz) de queso cremoso
2 cs de nata
Sal
Pimienta
1 pizca de azúcar

- Lavar muy bien el melón y cortarle una tapa no muy grande en la cáscara.
- Retirar la pulpa con cuidado, hasta vaciar perfectamente su contenido, y hacer con ella unas bolitas o cortarla en dados pequeños. Cortar el jamón en dados. Poner la pulpa en un recipiente e incorporar el queso de bola, el jamón, el jerez, el queso cremoso y la nata.
- Salpimentar, unir todo bien y rellenar el melón con ello.
- Presentarlo frío, dispuesto sobre una bandeja con hielo picado.

Mermelada
de albaricoque

Albaricoques
Azúcar (igual peso que la pasta de albaricoque)

- Comprar albaricoques bien maduros, retirarles el hueso y ponerlos a hervir en algo de agua. Una vez bien cocidos, pasarlos por el pasapurés y, después, pesar la pasta para poner la misma cantidad de azúcar.
- Hacer hervir la pasta sola y, nada más que espese un poco, incorporar el azúcar y dar vueltas a la preparación cuidando que no se pegue.
- Para comprobar si está a punto, echar un poco de la pasta en un plato y, cuando enfríe, retirarla del plato comprobando si este queda limpio.
- Si es así, se puede apartar del fuego y pasarla a recipientes de cristal.

Naranjas
al *kirsch*

6 naranjas grandes y jugosas
1 vaso pequeño de *kirsch*
6 cs de azúcar

- Mondar las naranjas y dejarlas bien limpias. Cortarlas a continuación en rodajas y depositarlas de forma ordenada sobre una fuente honda.

- Espolvorear con azúcar, rociar con el vasito de *kirsch* y mantener 1 o 2 h en maceración.

Naranjas
en su jugo

3 o 4 naranjas
75 o 100 g (2,6-3,5 oz) de azúcar
Algún licor (*curaçao*, *kirsch*, marrasquino, etc.)

- Bien mondadas las naranjas, cortarlas en rodajas finas y acomodarlas en una fuente un poquito honda.

- Mezclar el zumo de naranja con el azúcar, rociar con ello las rodajas de naranjas y regar el conjunto con el licor de nuestra elección.

- Acompañar con unas guindas en aguardiente.

Naranjas
rellenas

4 naranjas grandes de piel
gruesa y de tamaño similar
½ l (17 fl oz) de leche
5 huevos
200 g (7 oz) de azúcar normal
150 g (3,5 oz) de azúcar glas
1 copa de licor llena de *curaçao*
Unas gotas de carmín vegetal
Hielo picado

- Hacer un orificio en la parte superior de las naranjas, de forma que se pueda extraer toda la pulpa por él sin romper la piel. Con la pulpa, hacer zumo (se puede pasar por la trituradora). Reservar las cáscaras.

- Preparar la crema poniendo en un cazo, fuera del fuego, las yemas de los huevos y el azúcar; mezclarlo bien y agregar la leche. Situar el cazo sobre el fuego removiendo con una cuchara de madera hasta obtener una crema algo espesa, y sin dejar que hierva; retirar del fuego y, una vez fría, incorporar el zumo de las naranjas, el licor curaçao y el carmín vegetal. Mezclar y echar en una heladora.

- Batir a punto de nieve fuerte las 5 claras de huevo con el azúcar glas e introducir en una manga pastelera rizada. Poco antes de servir, colocar las cáscaras de las naranjas sobre una fuente de horno, rellenarlas con el helado y tapar cada una de ellas formando una pequeña pirámide con las claras de huevo. Introducir unos segundos en el horno a temperatura para que el merengue tome color. Colocar las naranjas entre hielo picado y servir rápidamente.

Peras
al Grand Manier

6 peras maduras
150 g (3,5 oz) de azúcar
Una copa de Grand Marnier
2 cs de mermelada de de fresa
½ kg (17 oz) de crema chantillí
o de nata montada

Para la salsa:

150 g (5 oz) de chocolate
1 cs de mantequilla
1 vaso pequeño de agua

- Pelar las peras conservándoles el rabo. Echar el licor, el azúcar y la mermelada sobre ellas, una vez que se pongan en un recipiente. Cubrirlas con agua, dejarlas cocer y después enfriar en su almíbar.

- Servir colocadas de pie en una fuente redonda. En el centro, poner la crema chantillí o nata montada. Completar los huecos entre las peras con motoncitos de nata.

- Acompañar con una salsa caliente de chocolate, que se hace derritiendo al baño María el chocolate con el agua y la mantequilla.

Peras
al vino de Madeira

Peras
1 l (34 fl oz) de vino de Madeira
100 g (3,5 oz) de azúcar

- Preparar el vino de Madeira y mezclar con el azúcar.
- Pelar las peras.
- Cocer las peras en el vino de Madeira con el azúcar.

Peras
al vino tinto

4 peras de cocer
¼ kg (9 oz) de azúcar
1 l (34 fl oz) de buen vino tinto
½ l (17 fl oz) de agua
½ canutillo de canela

- Pelar las peras, teniendo la precaución de dejar los rabitos enteros y pegados al fruto.
- A continuación, poner en una olla con el vino, el agua, el azúcar y la canela, y dejar cocer, a fuego suave aproximadamente 1 h. Cuando estén hechas, retirar y colocar en una fuente.
- Dejar hervir el resto de ingredientes hasta que queden cremosos, y bañar las peras por encima con el almíbar. Se puede utilizar azúcar opcionalmente, para realzar el dulzor de las peras si estas no son dulces.

Peras
en almíbar

1 kg (2,2 lb) de peras
1 vaso de vino blanco
1 l (34 fl oz) de agua
300 g (10,6 oz) de azúcar
1 cáscara de limón
1 cáscara de naranja
1 ramita de canela

- Una vez peladas las peras, dejándolas enteras, ponerlas a cocer en un cazo con los demás ingredientes.
- Transcurrida 1 h aproximadamente desde el inicio de la cocción, comprobar el punto de la misma y del azúcar.
- Servir en su almíbar, o bien con un fondo de natillas o de chocolate.

Peras
flambée

100 g (3,5 oz) de chocolate
sin leche
1 bote de peras en conserva
20 g (0,7 oz) de mantequilla
4 cs de *brandy*
50 g (1,8 oz) de pasas

- Ablandar el chocolate al baño María y verter muy despacio el jugo de las peras hasta obtener una crema semiespesa.

- Calentar la mantequilla en una sartén, y, previamente bien escurridas, pasar las peras por ella dejándolas hechas por ambos lados. Prender fuego al *brandy*, volcarlo sobre las peras y dejar que se consuma.

- Distribuir las peras en platos previamente calentados y salsear con el chocolate caliente mezclado con las pasas.

Piña
en macedonia

1 piña natural
3 plátanos
1 manzana
1 naranja
1 copa de *kirsch*
3 cs de azúcar

- Partir la piña en dos longitudinalmente y vaciarla con cuidado para no desperdiciar el jugo.

- Hacer una macedonia con los trozos de piña, plátanos, manzana y naranja finamente picados; añadir el jugo de la piña, el *kirsch* y el azúcar, mezclar bien y rellenar con ella las dos medias piñas.

- Montar las claras a punto de nieve, agregarles 2 cs bien colmadas de azúcar y distribuir sobre la piña. Llevar a gratinar y dejar en el horno hasta que el merengue esté dorado.

- Presentar en una fuente honda sobre un lecho de hielo picado.

Piña en macedonia
de leche condensada

1 piña
1 bote de leche condensada
1 bote de melocotón
1 o 2 manzanas
2 plátanos
Coñac o *kirsch*

- Escoger una piña bonita, bien hecha y con muchas hojas en su cabeza. Recortar un poco la base para que se sostenga bien y cortar también la parte alta, conservando todas las hojas, pues luego estas servirán de tapa.

- Recortar luego la piña interiormente con un cuchillo, dejando en las paredes y en el fondo un espesor de 2 cm (0,78 pulgadas) (desechar la parte central de la pulpa). Reservar la corteza de la piña para emplear después como envase, por lo que debe evitarse perforarla.

- Cortar la pulpa de la piña, los melocotones y las manzanas en trocitos cuadrados y hacer los plátanos rodajas. Disponer en un recipiente hondo todas estas frutas y mezclar con la leche condensada y la copa de coñac o *kirsch*, rellenando la piña con ello.

- Trasladar luego esta macedonia a la nevera y servir preferiblemente muy fría.

e puede presentar en
n bloque de hielo con un
ueco enmedio, o sobre
na fuente adornada con
amitas.

Piña
helada a la francesa

1 piña fresca, bien madura
150 g (5 oz) de azúcar
1 dl (3,4 fl oz) de *kirsch*
Helado de fresa

También se puede presentar la piña rodeada de hielo picado.

- Escoger una piña bien derecha y con muchas hojas en la cabeza. Recortar la base para que se sostenga de pie; cortar también la parte alta, para que luego recubra la piña con todas las hojas encima.

- Vaciar la pulpa de la piña, dejando algo pegado a la corteza. Ha de cuidarse de no perforar la corteza, que servirá de envase del helado.

- Cortar la pulpa de la piña en cuadraditos (desechando la parte dura central) y ponerla en un recipiente con el azúcar y el *kirsch*. Mantener en la nevera, durante 2 h, dejando que se impregne bien del azúcar y el licor. Como los cuadraditos han estar muy fríos, llevarlos al congelador.

- Rellenar la piña alternando capas de helado de fresa con cuadraditos de piña. Cerrar con la parte alta y sus hojas y adornar la fuente con unas ramas verdes.

Piña natural
al oporto

1 piña de buen tamaño
Un vaso de oporto
5 cs colmadas de azúcar

- Cortar el copete de la piña y reservar.

- Después, pelar la piña procurando no dejar los puntos marrones que suele tener la corteza. Hay que vaciar el centro con el aparato de vaciar manzanas o con un cuchillo. Hecho esto, cortar la piña en rodajas.

- En una fuente honda, poner las rodajas de piña; echar el azúcar cubriéndolas; por encima, el oporto y así dejar en maceración durante 3 o 4 h.

- Pasar las rodajas de piña al recipiente que irá a la mesa y colocar en el centro el copete reservado de la piña.

- Verter el jugo de la maceración sobre las rodajas de piña, sirviéndola muy fría.

Plátanos
a la madrileña

1 kg (2,2 lb) de plátanos
5 huevos
10 cs de azúcar
Un chorrito de ron
1 cs de mantequilla
Aceite

- Pelar los plátanos, cortar por la mitad longitudinalmente y freír con cuidado en la mantequilla con unas gotas de aceite. Trasladar después a una fuente refractaria.
- Batir las yemas con 5 cs del azúcar y el chorrito de ron, y disponer sobre los plátanos.
- Dejar las claras a punto de nieve, incorporarles 5 cs del azúcar y volcar sobre los plátanos. Llevar al horno y dorar al grill.
- Poner en la misma fuente y tomar en caliente o en frío.

Plátanos
al horno

Plátanos
Compota de manzana
El zumo de 1 limón

- Cortar los plátanos por la mitad y longitudinalmente y ordenarlos sobre una fuente refractaria untada de mantequilla. Repartir por encima la compota de manzana y el zumo de un limón. Hornear 30 min a fuego medio.
- Degustar frío o caliente.

Plátanos
con helado

1 barra de helado de vainilla
2 vasos pequeños de nata
1 ct de azúcar glas
4 plátanos grandes
Palitos de chocolate

- Enfriar en el congelador 4 platos de postre o unos recipientes ovalados.

- Dividir el helado en 4 partes iguales, de la misma longitud que los plátanos, y disponer un trozo en el centro de cada plato. Cortar los plátanos por la mitad y longitudinalmente y acomodarlos a los lados del helado.

- Montar la nata y, con una manga pastelera de boquilla rizada, distribuirla sobre el helado. Adornar con palitos de chocolate.

Como no es preciso servirlo de inmediato, la operación resulta más rápida manteniendo los platos con el helado en el congelador y la nata montada en el frigorífico para, en el último momento, emplatar todo con los plátanos pelados y cortados.

Plátanos
fritos

Plátanos
Azúcar moreno
Mantequilla
1 vaso pequeño de nata líquida

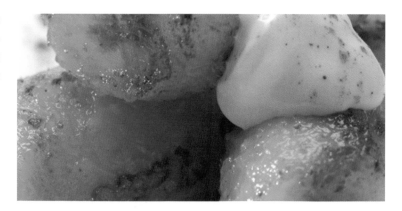

- Cortar los plátanos en rodajitas o bien en lonchas a lo largo. Rebozarlos en azúcar moreno y freírlos en mantequilla.

- Una vez fritos, agregar un vaso pequeño de nata líquida al resto de la mantequilla, dejar que hierva y regar con ello los plátanos.

Postre
de castañas y nata

Castañas
Nata montada

- Quitar la piel a las castañas. Escaldarlas y quitarles también la piel fina. Cocer en agua con un poquito de sal. Una vez cocidas, hacer un puré.

- Colocar una taza bocabajo en el centro de una fuente. Disponer el puré alrededor de la taza. Retirarla y rellenar el hueco con la nata montada.

Postre
de naranjas o limones

115 g (5,17 oz) de mantequilla
115 g (5,17 oz) de azúcar molido
115 g (5,17 oz) de harina
2 huevos enteros
1 ct de levadura
1 naranja o 1 limón

- Ablandar la mantequilla, agregarle el azúcar y seguir trabajando a fondo. Añadir los huevos enteros uno a uno.
- Exprimir la naranja y verter su zumo. Rallar la monda, incorporarla también y, por último, aportar la harina con la levadura.
- Untar un molde con mantequilla, volcar el preparado y dejar a horno moderado.

Salsa
de fresas

100 g (3,5 oz) de fresas
100 g (3,5 oz) de azúcar
1 dl (3,4 fl oz) de agua
Cáscara de limón
1 ct de harina de maíz
Carmín vegetal

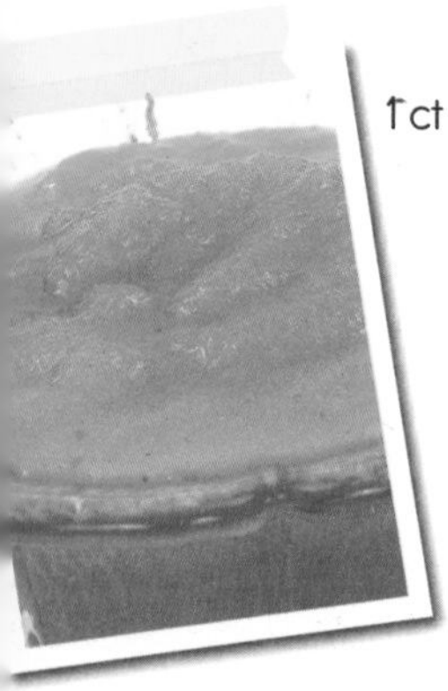

- Mezclar las fresas, el azúcar, un trozo de cáscara de limón y el agua en un cazo. Poner al fuego y dejar hervir 10 min.
- Pasados estos, añadir la harina de maíz disuelta en 2 cs de agua, cocer 1 min y retirar.
- Pasar por el colador, oprimiendo bien para que pase la fresa. Darle color con 2 gotas de carmín vegetal.

Salsa
de piña

El jugo de 1 lata de piña
1 cs de azúcar
1 huevo
1 cs de maicena
1 ct colmada de mantequilla

- Triturar todos los ingredientes en la batidora.
- Poner un cazo al fuego y volcar la mezcla en él.
- Cocer durante 5 min sin dejar de remover.

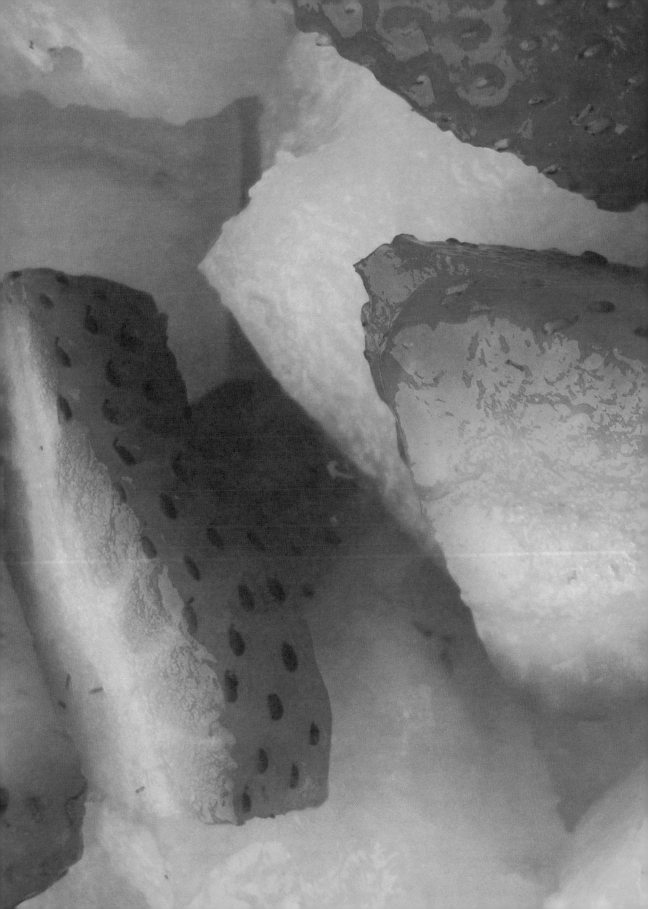

Helados,
sorbetes y granizados

Granizado
de cava

1 botella de cava
1 vaso grande de zumo de naranja
3 cs de azúcar
10 o 12 cubitos de hielo

- Si nuestra batidora pica hielo, disponer todo junto y batir hasta triturar el hielo. Si la batidora no tiene suficiente fuerza, colocar los cubitos de hielo en una servilleta o paño blanco y darles golpes con un instrumento apropiado y, después, mezclar con los demás ingredientes.
- Servir en copas de cava con una rodaja de naranja incrustada en el borde.

Antes de llenar las copas, se azucara el borde de estas humedeciéndolo previamente en zumo de naranja y colocándolas luego bocabajo sobre un plato con azúcar.

Granizado
de limón

10 o 12 cubitos de hielo
2 dl (6,7 fl oz) de zumo de limón
3 cs de azúcar

- Triturar el hielo y mezclar con los otros ingredientes, removiendo bien.
- De igual manera se puede hacer el granizado de naranja.

Gratén
de ciruelas

600 g (21,2 oz) de ciruelas
negras maduras
150 g (5 oz) de *crème fraîche*
4 cl (1,3 fl oz) de aguardiente
de ciruela
3 huevos
Mantequilla
1 cs de maicena
1 ct de canela molida
5 cs de azúcar

- Lavar y partir las ciruelas por la mitad. Despojar del hueso.

- Con la mantequilla, engrasar un molde termorresistente y distribuir las mitades de las ciruelas en forma de tejas en su fondo.

- Posteriormente, rociar con el aguardiente de ciruela y agregar la canela molida.

- Precalentar el horno a 250 °C (480 °F).

- Separar las claras y las yemas de los 3 huevos. Juntar las yemas con el azúcar en un recipiente y batir hasta conseguir una crema de color amarillo pálido.

- Después, añadir la maicena.

- Montar las claras hasta que alcancen el punto de nieve.

- En primer lugar, incorporar la *crème fraîche* a la crema de yemas y, seguidamente, realizar el mismo procedimiento con las claras montadas.

- Repartir la masa resultante de esta mezcla de manera uniforme sobre las ciruelas.

- Meter en la guía central del horno durante 15 min, hasta que se dore.

Las ciruelas pueden sustituirse por melocotones, manzanas, albaricoques, bayas, peras o nectarinas. Se pueden mezclar avellanas molidas o almendras con la masa de gratinar.

Helado
de avellanas

6 huevos
1 vaso pequeño de nata líquida
12 cs de azúcar
Avellanas

- Separar las yemas de las claras. Batir las yemas con 6 cs de azúcar, hasta obtener una pasta espesa, y añadir las avellanas picadas. Montar la nata e incorporar las yemas.

- Montar las claras a punto de nieve fuerte, agregar 6 cs de azúcar y mezclar todo con una espátula, de abajo arriba para que no bajen. Untar un molde con mantequilla. Volcar la mezcla en ese molde y dejar en el congelador 3 h aproximadamente.

- Para desmoldar, sumergir el molde en agua templada y desmoldar el helado en el momento que se desprenda.

Helado
de chocolate

- Separar las yemas de las claras.
- Batir las yemas con 6 cs de azúcar, hasta que queden bien espesas, y ligar con el chocolate derretido.
- Montar la nata y añadirla a las yemas.
- Batir las claras a punto de nieve fuerte y endulzar con el resto del azúcar.
- Mezclar todo despacio, de abajo arriba, y verter sobre un molde untado con mantequilla.
- Dejar en el congelador 3 h o más, según sea necesario.

6 huevos
1 vaso pequeño de nata líquida
12 cs de azúcar
1 tableta de chocolate sin leche

Helado
de crema tostada

1 bote de leche evaporada
2 yemas
6 cs de azúcar

- Llevar la mitad del bote de leche evaporada al congelador y dejarlo aproximadamente 1 h, para que al batirlo se haga mejor.
- Hacer unas natillas con la otra mitad de la leche, más las yemas y 2 cs de azúcar. Ponerlas al baño María, para evitar que se corten, y retirarlas del calor cuando espesen sin que lleguen a hervir.
- Preparar un caramelo con el resto del azúcar, tostadito pero sin que se queme, e incorporarlo a las natillas, revolviendo fuerte.
- Una vez fría la mezcla, batir la leche del congelador con energía y mezclarla con las natillas.
- Verter el helado en un molde apropiado y pasarlo al congelador.

Helado
de frambuesas con pistacho

½ kg (17 oz) de frambuesas
6 dl (20,3 fl oz) de nata líquida
100 g (3,5 oz) de azúcar
25 g (0,9 oz) de pistachos
1 cs de azúcar de vainilla
1 ct de zumo de limón

- Lavar y limpiar las frambuesas. Colocar en un recipiente con el azúcar. Machacar con un tenedor, tapar y dejar en el frigorífico 2 h.
- Separar 4 dl (13,5 fl oz) de la nata, batir bien y reservar.
- Sacar las frambuesas del frigorífico. Hacer puré las frambuesas; mezclar con el zumo de limón y la nata montada.
- Seguidamente, echar en un recipiente de metal, tapar con papel de aluminio y meter en el congelador 3 h.
- Aparte, montar el resto de la nata con el azúcar de vainilla. Depositar esta mezcla en una manga pastelera de boquilla rizada.
- Pelar y picar los pistachos.
- Hacer bolas el helado y servir en copas de postre, con los pistachos picados por encima, y adornado por pequeños rosetones de nata montada.

Helado de frutas
del bosque o frutas variadas

100 g (3,5 oz) de moras congeladas
100 g (3,5 oz) de fresas congeladas
100 g (3,5 oz) de arándanos congelados
100 g (3,5 oz) de grosellas rojas congeladas
75 g (2,6 oz) de azúcar glas
2 dl (6,7 fl oz) de vino blanco
3 cs de marrasquino

- Mezclar el vino y el azúcar glas con la ayuda de la batidora.
- Reservar unas pocas frutas congeladas para adornar y echar el resto en el recipiente anterior, batiéndolas hasta que se forme una crema homogénea.
- Colocar un molde de metal en el congelador.
- Agregar el marrasquino a la crema de frutas del bosque y echar en el molde del congelador, tapado con papel de aluminio, e introducir en el mismo 1 h.
- Presentar en copas individuales, con forma de bolas y recubierto por las frutas heladas que se habían reservado.

Helado
de invierno

Crema pastelera

Para la crema de chocolate:
110 g (4 oz) de chocolate sin leche
100 g (3,5 oz) de azúcar
200 g (7 oz) de mantequilla
2 huevos
Nata montada

- Elaborar una crema pastelera (véase receta, pág. 158) y llenar con ella copas de helado hasta la mitad.
- **Para la crema de chocolate:** convertir el azúcar en azúcar glas. Colocar cerca del fuego un cazo con el chocolate, dejar que ablande y añadirle la mantequilla, el azúcar glas y las 2 yemas de huevo. Trabajar bien todo hasta conseguir una pasta esponjosa y fina. Batir las claras a punto de nieve e incorporarlas también. Echar por último en las copas sobre la crema pastelera.
- Llenar una manga pastelera con la nata montada y adornar las copas con ella.
- Dejar enfriar en la nevera y tomar sin helar.

Helado
de plátano

2 vasos de leche
1 yema de huevo
2 cs de azúcar
2 plátanos

- Hacer una crema clarita con un vaso de los dos que tenemos de leche, la yema y el azúcar. Debe quedar clara, no espesa.
- Chafar los plátanos (no deben ser verdes) y, cuando estén bien triturados, incorporar el otro vaso de leche.
- Mezclar ambas preparaciones, colarlas y ponerlas a helar en el congelador.

Helado
delicioso

Helado de vainilla
Crema de leche irlandesa

- Poner 1 o 2 bolas de helado de vainilla en una copa ancha y regarlo con un chorro de crema de leche irlandesa.
- Degustar muy frío nada más servir, para evitar que se derrita.

Helado
mantecado de turrón

½ tableta de turrón blando
¼ kg (9 oz) de nata montada
100 g (3,5 oz) de azúcar
50 g (1,8 oz) de almendra
machacada
Fideos de confitería
para decorar

- Deshacer la tableta de turrón, aplastándola con un tenedor. Mezclarla bien con la nata montada y con el azúcar glas.

- Repartir la masa en cuencos pequeñitos de cristal o en copas de acero inoxidable. Espolvorear la almendra picada o los fideos de confitería por encima.

- Mantener en el congelador hasta el momento de servirlo.

Horchata
de chufa

225 g (8 oz) de azúcar
225 g (8 oz) de leche en polvo
100 g (3,5 oz) de avellanas
Hielos

- Triturar las avellanas y tostarlas. Mezclar luego la leche en polvo con el azúcar y las avellanas ya tostadas y trituradas. Envolver en una servilleta o pañito tantos hielos como hagan falta y machacarlos golpeándolos con algo duro. Se sabe los que se necesitan cuando, al mezclarlos con los ingredientes, forman una pasta fina.

- Llevar al congelador y dejar helar.

Sorbete
de avellana

225 g (8 oz) de azúcar
225 g (8 oz) de leche en polvo
100 g (3,5 oz) de avellanas
Hielos

- Triturar las avellanas y tostarlas. Mezclar luego la leche en polvo con el azúcar y las avellanas. Envolver en una servilleta o pañito tantos hielos como hagan falta y machacarlos golpeándolos con algo duro. Se sabe los que se necesitan cuando, al mezclarlos con los ingredientes, forman una pasta fina.

- Llevar al congelador y dejar helar.

Sorbete
de chirimoya

3 chirimoyas
1 kg (2,2 lb) de azúcar
1 l (34 fl oz) de agua

Si quiere elaborar la emulsión cómodamente y que ligue con facilidad, emplee una sorbetera. Si no dispone de una sorbetera, ponga el recipiente metálico en el congelador y remuévalo suavemente cada 20 min.

- Verter el agua en una cacerola de cobre y poner a calentar a fuego medio. Cuando caliente, añadir azúcar lentamente y remover sin parar hasta que se haga un almíbar cremoso.

- Tras eliminar cuidadosamente los huesos de las chirimoyas, batir bien su pulpa para incorporarla después al almíbar.

- En un recipiente de fondo profundo, y a ser posible metálico, echar hielo picado; luego, cerrar por encima con otro recipiente, también metálico.

- Batir el almíbar y la pulpa así lentamente, hasta conseguir ligar la mezcla y obtener la textura deseada.

- Unir el hielo a esta preparación, llevar al congelador y dejar helar.

Sorbete
de fresa

1 kg (2,2 lb) de fresas
300 g (10,6 oz) de azúcar
½ l (17 fl oz) de agua

- Poner a cocer ½ l (17 fl oz) de agua con el azúcar durante 10 min a fuego vivo; después, dejar enfriar.

- Lavar y picar las fresas. Pasarlas a la batidora con el almíbar y triturar hasta obtener un puré. Pasar el batido a un recipiente y depués introducirlo en el congelador.

- Cuando esté casi congelado, triturar con la batidora y servir en copas, con una fresa entera como adorno.

Técnicas
y recetas base

Acaramelado
de los moldes

- Para acaramelar un molde de flan o para cualquier otro preparado que así lo requiera, poner 2, 3 o 4 cs de azúcar (según el tamaño) en el recipiente que se quiera bañar de caramelo. Llevar a fuego vivo y darle vueltas con una cuchara de madera hasta que el azúcar adquiera un color dorado más o menos intenso, según gustos. Retirar del fuego asiendo el molde con un paño y hacerlo girar despacio para que el caramelo bañe por igual las paredes. Extremar la precaución para que no caiga sobre las manos ninguna gota, pues quema mucho.

- Tras bañar bien el molde, dejar enfriar. Estará frío cuando se oiga unos ruiditos como de cristal roto.

Almíbar

Utilizado con frecuencia en repostería, el almíbar tiene distintas graduaciones o estados que para una persona novel es muy difícil distinguir (esto lo da la práctica). Esta escala o graduación viene impuesta por las exigencias de cada receta, por lo que podemos dar unas indicaciones muy simples que sirvan de orientación:

1. El **almíbar** o **jarabe**, también llamado **sirope**, se emplea para endulzar frutas frescas, emborrachar bizcochos, etc. Para saber si tiene este punto, se humedecen previamente la manos en agua fría y está listo cuando al tocarlo queda pegado a los dedos.

2. La **hebra fina** o **floja** es el punto en que el almíbar, tras mojar los manos en agua fría, forma un hilo muy fino y se rompe enseguida al separar entre los dedos pulgar e índice la gota que suelta la cuchara de madera con que lo hacemos.

3. Se conoce como **hebra gruesa** cuando, tras haberlo dejado cocer otro poco, el hilo que se forma es más consistente y al estirarlo ofrece mayor resistencia.

4. Se llama **perlita** cuando el almíbar comienza a hervir a borbotones formando una especie de perlas. Si hacemos la prueba de los dedos, la hebra ofrece más resistencia.

5. **Gran perla** es el punto que, tras la ebullición, hace que el almíbar sea más fuerte y la hebra no se rompa por mucho que abramos los dedos.

6. **'Bola blanda** es el punto del almíbar que, al realizar la prueba con la gota entre los dedos y sumergir estos de nuevo en agua fría, con una ligera fricción, se forma una bolita blanda.

7. **Goma dura** o **gran bola** cuando, tras seguir los mismos pasos que en el punto anterior, la bola que se forma es más consistente.

8. La bola formada se pega a los dientes al intentar morderla.

9. La bola, al morderla, se rompe y no se pega; en este punto hay que tener cuidado, porque es muy fácil que se queme. Se utiliza fundamentalmente para acaramelar moldes o flaneras.

Baño
María

- Rellenar 2/3 de la capacidad de una cazuela con agua y ponerla a fuego medio.
- Dentro de esta cazuela, colocar el molde donde se verterá la preparación.
- Incorporar la preparación en el molde vacío y mantenerla el tiempo indicado en cada receta, a temperatura constante y sin que llegue a hervir.

Cobertura
de chocolate

- Derretir la cobertura al baño María con cuidado de no sobrepasar los 40 ℃ (104 ℉).
- Dejar enfriar, removiendo, hasta los 25 ℃ (77 ℉), más o menos cuando los bordes empiezan a solidificarse.
- Calentar de nuevo, removiendo siempre, hasta los 32 ℃ (89,6 ℉). A esta temperatura vuelven a mezclarse perfectamente los diferentes ingredientes del chocolate (manteca de cacao, sustancia seca del cacao y azúcar). Utilizar un termómetro digital para conseguir mayor precisión.

Montar claras
a punto de nieve

- Cascar los huevos en dos mitades. Separar las claras de las yemas y verterlas en diferentes recipientes.
- Antes de proceder a montar las claras batirlas un poco con el tenedor hasta que estén espumosas.
- Batir enérgicamente las claras con la varilla manual o con el accesorio de varillas del brazo mecánico, haciendo movimientos circulares de arriba abajo, hasta que vayan subiendo.
- Añadir un poco de azúcar glas y seguir batiendo hasta que las claras tengan la consistencia deseada.

Pasta
de hojaldre

300 g (10,6 oz)
de harina
300 g (10,6 oz)
de mantequilla
1 pellizco de sal
Agua

- Tamizar la harina en forma de círculo ancho sobre el mármol e incorporar la sal y el agua, esta en cantidad suficiente para formar una masa consistente y elástica. Dejar que repose en sitio fresco durante 15 min. Transcurrido este tiempo, estirar con el rodillo, formar un cuadrado y, en el centro de este, acondicionar la mantequilla en trocitos y algo blanda, o sea, a temperatura ambiente. Doblar las cuatro puntas de la pasta, de manera que la mantequilla quede envuelta en el interior. Aplanar la mantequilla por encima con el rodillo y, después, ponerla en reposo en un sitio fresco otros 15 min.

- Iniciar luego las vueltas, es decir, estirar la pasta con el rodillo haciendo un rectángulo. Doblar los extremos hacia el centro, de forma que queden superpuestos formando un recuadro de tres capas, y reposar de nuevo 15 min.

- Darle vuelta al recuadro, de modo que lo que antes era el lado largo sea ahora el ancho. Repetir la operación anterior hasta 6 veces, dejando siempre un lapso de tiempo de 15 min entre vuelta y vuelta.

- No debe amasarse nunca en el momento de su utilización, poniendo los recortes que resulten unos encima de otros para aplanarlos de seguido con el rodillo.

- El hojaldre ha de cocerse a horno muy caliente.

Pasta
quebrada

200 g (7 oz)
de harina
125 g (4,4 oz)
de mantequilla
1 dl (3,4 fl oz)
de agua
Sal

- Hacer un montón con la harina y formar un hueco en el centro. Echar la sal (o el azúcar, si se quiere dulce), la mantequilla, que ha de estar blanda, y el agua.

- Llevar la harina con los dedos desde los bordes hacia el centro, mezclando todo bien pero sin amasar. Pasarla ya hecha a un plato, cubrirla con un paño humedecido en agua y dejar 1 h en la nevera.

- Emplear sin necesidad de volver a amasarla.

- Para la pasta quebrada dulce, darle un pellizco de sal y ponerle 1 cs colmada de azúcar.

Consejos
prácticos

- **Para dorar un pastel al horno**: antes de meterlo, untarlo bien con una brochita mojada en yema de huevo diluida en leche.

- **Para fundir la gelatina**: hay que dejarla 15 min en agua fría y pasarla después por agua caliente. Al momento queda diluida.

- **Para el baño María**: añadir unas cáscaras de huevo al agua para evitar que hierva a borbotones. Si el baño se realiza al horno, tapar con papel de aluminio para que no se reseque.

- **Los moldes**: si se van a utilizar en el horno, deben untarse previamente con aceite o mantequilla, y antes de volcar el preparado en ellos, conviene espolvorearlos con una pizca de harina.

- **Para conseguir bizcochos o suflés muy altos**: batir las claras a punto de nieve muy fuerte y añadirlas a la masa como si se siguieran batiendo, sin removerlas.

- **Para que las claras no se corten**: añadir una chispita de vinagre, pero muy poco para que no adquieran sabor.

Índices

Índice general

Cremas
y mousses

Índice alfabético de recetas

TABLAS DE EQUIVALENCIAS

más usuales

PESO		CAPACIDAD (LÍQUIDOS)			LONGITUD	
Sistema métrico (gramo)	Sistema anglosajón (onza)	Mililitros	Onzas fluidas	Otros	Pulgadas	Centímetros
30 g	1 onza (oz)	5 ml		1 cucharadita	1 pulgada	2,54 cm
55 g	2 oz	15 ml		1 cucharada	5 pulgadas	12,70 cm
85 g	3 oz	30 ml	1 fl oz	2 cucharadas	10 pulgadas	25,40 cm
110 g	4 oz (¼ lb)	56 ml	2 fl oz		15 pulgadas	38,10 cm
140 g	5 oz	100 ml	$3^{1}/2$ fl oz		20 pulgadas	50,80 cm
170 g	6 oz	150 ml	5 fl oz	¼ pinta (1 gill)		
200 g	7 oz	190 ml	$6^{1}/2$ fl oz	⅓ pinta		
225 g	8 oz (½ lb)	200 ml	7 fl oz			
255 g	9 oz	250 ml	9 fl oz			
285 g	10 oz	290 ml	10 fl oz	½ pinta		
310 g	11 oz	400 ml	14 fl oz			
340 g	12 oz (¾ lb)	425 ml	15 fl oz	¾ pinta		
400 g	14 oz	455 ml	16 fl oz	1 pinta EE UU		
425 g	15 oz	500 ml	17 fl oz			
450 g	16 oz (1 lb)	570 ml	20 fl oz	1 pinta		
900 g	2 lb	1 litro	35 fl oz	1¾ pinta		
1 kg	2¼ lb					
1,8 kg	4 lb					

ABREVIATURAS

g = gramo
kg = kilogramo
oz = onza
lb = libra
l = litro
dl = decilitro
ml = mililitro
cm = centímetro
fl oz = onza fluida
pulg. = pulgada
°F = Fahrenheit
cs = cucharada sopera
ct = cucharadita